臺中市政府文化局　遠景 VISTA PUBLISHING

圳水漫漫

葫蘆墩圳探源

圳水漫漫
葫蘆墩圳探源
CONTENTS

市長序
溫和自信的幸福城市

林佳龍

臺中市是一座充滿陽光活力的健康城市，擁有豐富人情味與生活、生態、生產的生命力，是個適合安身立命、成家立業的好地方，有著無限可能的發展性。

要在一座城市落地生根，要先宜居，才會有移居，進一步怡居。臺灣雖然面臨少子化，然而近年來臺中市人口每年都增加將近上萬人，表示本地是適合生活的城市，有獨特的吸引力。因此我們所該做的，是規劃以人為本，跨域整合、推動能讓臺中市民擁有和善生活環境的各項政策，而在這樣的政策背後，內蘊著豐厚的城市精神，進而促使我們策劃「臺中學」叢書，將臺中文化城的靈魂具體形塑，讓市民及外地大眾更為認識臺中、親近臺中。

地方學能完整描繪地區的獨特歷史發展脈絡，傳承及活化運用在地文化智慧，但往往以研究調查的方式撰述，缺乏地方生活記憶與認同，也讓大眾不易親近。因此，臺中市政府文化局對「臺中學」叢書的策劃，選擇臺中市具代表性的生活面指標為主題，發掘臺中地區最具本土性、獨特性的特色，運用柔性的筆觸與豐富的圖像，期望能讓本地市民更親近、關注自身的生活脈絡，也提供外地大眾了解在地文化的媒介。

首次出版即廣邀長期深耕並關注臺中歷史、文化的工作者主筆撰述，包括林良哲、楊宏祥、吳長錕、賴萱珮、廖振富、陳貴凰、吳政和、張玉欣，鉅細靡遺地梳理臺中市的地貌遷徙與人事流轉，勾勒出臺中人的溫和自信。主題則從最具代表的地景臺中公園、農業發展葫蘆墩圳、薈萃人文清水區、時代文人林獻堂及茶飲代表珍珠奶茶著眼，這些可以被稱為臺中印象的關鍵詞，全都從篇幅裡甦醒，閱讀過程中，可以感受到臺中市百年時空裡的風華面貌。

　　透過閱讀「臺中學」，可以知道不論昔日或今日，臺中人擁有一種溫和的驕傲，還有溫和的自信。我希望臺中「溫和自信」的形象能在全臺灣、全世界成為獨特魅力，更希望讓每位居住在此的市民，感受身為臺中人的榮耀，大聲喊出「我是臺中人」！

局長序
臺中形象的關鍵字

王志誠

　　一座城市要自成一學，需要的是生活與歲月的積累，除了這些積累仍个足夠，更要活躍出屬於這座城市的獨特性，使人一提及關鍵字，就能與該地的人文、風土、歷史、生態、地景聯結，進而勾勒出這座城市獨一無二的面貌與個性。

　　縣市合併後的大臺中地區，圍抱了山與海，根植了城市與自然，更將歷史與未來聯結在同一條路徑上，讓人們注視臺中的視野更遠、更廣、也更活。這使我們手中擁有能夠形塑臺中印象的關鍵字如同春日的繁花盛開，令人目不暇給。但我們希望人們對臺中的形貌不只是一個單詞的片面形容，而能更加深化、豐厚為一門有血肉與溫度的「學」。

　　因此我們策劃「臺中學」的書系，選擇具代表性的指標為專書主題，發掘臺中地區具有本土性、獨特性的特色，同時更希望書系的開闢能成為引發學者專家對「臺中學」深入調查研究的動力及發表的舞臺。今年首次登場的臺中學共有五大主題，分別是地景類的臺中公園，地域類的葫蘆墩圳、清水區，人物類的林獻堂，飲食文化類的珍珠奶茶。

　　日治時期即在日本人有系統的都市規劃中誕生的臺中公園，每一代臺中人的記憶總有它的身影，見證了臺中市區的地貌遷徙與人事流轉，長期研究臺中地方文史的林良哲將這些見證書寫為動人的《日月湖心：臺中公園的今昔》，生動地

述說了臺中公園的前世今生；引入大甲溪的活水澆沃了大臺中地區的廣大農田，結出美味的稻米養育了一代又一代的臺中人，葫蘆墩圳對臺中的重要性不言可喻，深耕豐原當地文史工作的《葫蘆墩季刊》主編楊宏祥遂寫成《圳水漫漫：葫蘆墩圳探源》一書，鉅細靡遺地歸納葫蘆墩圳開發以來的數百年時空故事；清水坐擁海洋與柔風，不僅吹撫出一片美麗的濕地與小鎮景致，也薈萃出深厚的人文脈絡，以「清水散步」文化推廣基地聞名的吳長錕及賴萱珮深知清水的魅力，以《海線散步：清水人文地誌學》一書帶領眾人前往清水散步、享受小鎮的慢活方式。

霧峰林家是臺灣最重要的古蹟建築之一，而其主人林獻堂更在臺灣近代史上占有舉足輕重的地位，他個人的一生幾乎與日治時期的臺灣共同呼息，國立臺灣文學館館長廖振富所著的《追尋時代：領航者林獻堂》不只從日治臺灣的政經環境切入林獻堂的生命，更剖析他與親族、當代重要人物之間相處的點滴，將林獻堂的形象重塑得更為真實活絡；而現在人手一杯、甚至紅到美國前國務卿希拉蕊手上的珍珠奶茶，已經成為臺灣茶飲文化的經典代表，臺灣處處有珍珠奶茶，但臺中是將珍珠奶茶等茶飲文化發展得最徹底的地方，由陳貴凰、吳政和、張玉欣打造《團圓食光：世界珍奶與臺中茶飲》一書，將細數賦予珍珠奶茶生命的種種歷程。

建構一座城市的詞彙有很多，但要詮釋一個詞彙背後所代表的一切，一本書的篇幅並不足夠，臺中學的主題還有待開發與擴充，但只要起步了，就會與這座城市的發展一樣，永遠都會是旺盛的。

「行動導讀」提供讀者一份新的閱讀體驗，傳統書籍也可以如此方便的做到：既有深度、兼具廣度。其特色既保持書本平面閱讀時的舒適感與質感，同步又能夠提供多面性的具象影音，使書的內容更充實、更能散播美感與價值。

行動導讀　這樣做──

1.　手機下載「行動導讀」APP（ios、android 適用）或瀏覽網站（http://www.dowdu.tw/）

2.　輸入「書碼」：QR code 或 504392。

3.　查看「易導碼」（例如「(25)」），即可體驗閱讀中所延伸的豐富多媒體與影音內容。

前言

沿著葫蘆墩圳逆流而上

因為葫蘆墩圳的澆沃，孕育出的豐原沃土。

我打葫蘆墩來——中部福爾摩沙的豐沃原鄉。

　　從童蒙到少年的記憶中，我記得1950、60年代這片豐沃原鄉還被稱為「鎮」。年少的我們不懂「大溝」的灌溉、水利功能，卻很清楚它跟我們的生活息息相連的緊密關係。阿嬤、阿母總是提著一家老小換洗的衣物到隔條街的「大溝」邊，與左鄰右舍的許多婆婆媽媽就著溝水邊洗邊開講，話題天南地北、漫無邊際；相隔不遠處的土地公廟埕，則是阿公跟那些叔叔伯伯們行棋、開講、鬥嘴鼓的舞臺。而我們這群毛頭孩子們總是趁著大人們忙著時，偷偷地下到大溝裡去玩水、抓魚。鹽館巷口的米行，聽說賣的就是「大溝」灌溉出來的故鄉米。「大溝」，給了我們一家前後幾個世代不同的生活舞臺以及回憶。

　　毛頭孩子時期的少年記憶，經常聽家裡老人家說起這片豐沃原鄉是如何的「水清、米白、查某水」。少不更事的我們，也許是因為從小到大就看著故鄉是這副模樣，習以為常，當下也不覺得它有什麼特別的。倒是年節一到，「大溝」邊的竹廣市仔和橫街仔就成了我們的快樂天堂。年節前，阿爸、阿母帶著我們這些毛頭孩子們踅街打點新年行頭；年節時日，鎮日跟著同齡的表兄弟們沿著「大溝」邊直到葫蘆墩橋頂，一路撈魚、打珠仔臺、報籤仔……總是得等到家裡人來相尋，浪遊的歡樂時光才會暫告段落，等著明天、明年再繼續。

　　隨著時間的遞嬗輪轉，當童蒙漸遠，從國、高中沒日沒夜的升學主義日子，到大學的遊學異地、漂洋過海遠赴金門的義務兵役歲月，每一步的人生成長，原鄉與「大溝」都跟我們的生活連結漸行淡遠。退伍的那年，回到原鄉，走出火車站，沿街踅了一趟，曾經熟悉的街景依舊，而最想找回那被歲月磨得淡遠的「大溝」印象，卻已沉埋在水泥封蓋底下。

　　我們走在這塊水泥地上，走了許久，心中始終懷念青草地的觸感。如今隨著

葫蘆墩圳的開蓋呼聲四起，讓這條豐原母親河得以再度被陽光與風輕撫。（葉子源／攝）

開蓋的呼聲四起，似乎也開啟我們對於家鄉與河流的念想與記憶。我們開始不覺得「水清、米白、查某美」是一件理所當然的事，而是老在地人暱稱「大溝」的葫蘆墩圳為這片原鄉引來的大甲溪活水所澆沃出的美麗。循著這條古圳巡走，我們會發現它牽繫著北臺中將近三百年的生息、歷史、人文，是如此豐厚多姿。

　　於是，為了更了解自己的原鄉，我不但沿著葫蘆墩圳逆流而上，更逆著時光回到過去，一窺那個站在豐原的土壤上、捧掬著大甲溪水、開始扎根生活的先民樣貌……

循著時光逆流，回溯葫蘆墩圳的前世今生　（葉子源／攝）

第一章

從張達京話說葫蘆墩

為豐原種下希望之樹——豐原人的豐原夢

　　2015 年 3 月 8 日，為振興豐原在地文化，豐原區公所轄下豐原漆藝館舉辦了一場「為豐原種下希望之樹」活動，現場兩百位來自豐原各級學校及社會團體所組成「豐原囝仔」[1] 團隊成員，在豐原區公所區長陳麗珠等機關首長見證下，成立「豐原囝仔百人團」，並由臺中市政府代表授旗誓師。他們將接受嚴格的豐原文化歷史導覽培訓，成為未來行銷豐原的第一線尖兵。

　　眾人在豐原漆藝館廣場種下十棵代表希望之樹的五葉松樹苗，並訂下目標：在 2018 年國際花博前募集一千名「豐原囝仔」成員，透過「豐原囝仔」團隊的導覽解說課程，讓這一千名「豐原囝仔」孩子成為在地導覽員，也讓更多的豐原人、觀光客認識我們生長的這塊土地。現場並發送一千棵臺中市樹五葉松苗，讓民眾帶回散播希望的種子。活動現場並發表、教唱「豐原囝仔」團隊成員莊淑如編寫的團歌〈豐原囝仔ㄟ歌〉。

　　〈豐原囝仔ㄟ歌〉[2]
　　小手牽大手　牽起世代情
　　豐原囝仔　咱們ㄟ豐原夢
　　細漢阿公有講起
　　豐原古地名叫「葫蘆墩」
　　葫蘆墩是一個好所在
　　培養頭人第一頂

為振興豐原文化，深耕當地的文史團隊號召成立「豐原囝仔百人團」，接受嚴格的豐原文化歷史導覽培訓，成為未來行銷豐原的第一線尖兵。

古早阿嬤嘛有講起

豐原「五寶」通京城

水清米白餅香柴乾

查某水

小手牽大手　牽起世代情

豐原囝仔　咱們ㄟ豐原夢

細漢三叔公有講起

清朝唐山過臺灣

有一個能人叫張達京

開發水圳　名叫「葫蘆墩圳」

古早四嬸婆嘛有講起
豐原的「葫蘆墩圳」水尚清
透早一邊洗衣一邊話仙
葫蘆墩圳是豐原ㄟ母親

小手牽大手　牽起世代情
豐原囝仔　咱們ㄟ豐原夢

　　淑如老師的這首〈豐原囝仔ㄟ歌〉，非常質樸地點出了豐原早期墾殖、開發的繁盛元素及歷史——包括「葫蘆墩」的古地名 (3)、母親河葫蘆墩圳、葫蘆墩圳的開發者張達京等。其中，人物常常是歷史中最生動、驚奇、美麗的傳說。因此若要認識豐原與葫蘆墩圳，有「葫蘆墩張百萬」、「平埔族駙馬」之稱的張達京是最好的切入點。

葫蘆墩張百萬、平埔族駙馬——張達京 (4)

　　要了解豐原的歷史，就不能不談葫蘆墩圳；談葫蘆墩圳，更不能不了解張達

屬於客家夥房建築的萬選居，是張達京的後代張萬春的故居。（《葫蘆墩季刊》／提供）

張達京像。

京這個人。對漢人入墾開闢臺中盆地貢獻最大者，當首推張達京（墾號張振萬）。張達京字振萬，號東齋，綽號「平埔族駙馬」，康熙29年（1690年）生，為廣東潮州大埔縣客家人。

張達京生性聰明，身材魁梧。祖父出身武舉人，對子弟傳授防身拳術；張氏並由父親教授藥草祕方。張達京是臺灣中部地區平埔族岸裡社的首任通事，其兄弟包括長兄張達朝（來臺後開墾潭子「阿霧林」等地區）、四弟張達標（來臺後開墾大雅、西屯等地區），也都是著名的臺灣農業墾荒者。

清康熙50年（1711年），張達京原本行商於閩南，在二十餘歲時隻身渡海來臺，從現在的鹿港登陸，先落足彰化平原一帶，後來來到大甲溪 (5) 北岸與岸裡舊社人（今臺中市后里區）交易，並和土官阿莫（又稱阿穆、阿睦）過從甚密。當時原住民平埔族人正受瘟疫侵襲，頗有死傷，張達京本就熟稔中醫，他以草藥為社人治病，活人無數。社人感激之餘，土官阿莫賜以女兒為妻，社人也與他結親，當時總共得了六房妻女，所以地方人就稱之為「平埔族駙馬」。這段過程，是地方鄉親耆老們最熱衷的張達京傳奇性故事。

在康熙、雍正年間，原住民與漢人時有衝突。雍正元年（1723年），清廷需要幹練人士奔走協調，於是舉任張達京為岸裡社第一任「理番通事」，教化先住民耕作。他既是官方通事，又是岸裡社頭目的駙馬，人又精明幹練，很快就成為

了岸裡九社的重要人物。

張達京在「理番通事」任內三十餘年間，鑿水圳以開發荒地，教導先住民耕作，為現在的大臺中平原塑造出了農業雛形。張氏開發埤圳，以灌溉推進土地的開拓，先是與岸裡社土官潘敦仔訂立「割地換水」的墾約，議定能出工本錢募工鑿圳引水灌溉者，平埔族原住民則以西勢阿河巴埔地來換取十分之二的圳水。張達京更邀同漢人出資開鑿葫蘆墩圳 (6)，從樸仔籬口（即石岡水壩西南處）築埤引進大甲溪的溪水，不但荒埔地變身為良田，而且稻米亦豐增收穫，葫蘆墩米也因而聞名海內外。之後閩粵移民大批湧至本地加入墾殖，奠定了今日大臺中繁榮的基礎。

如此數十年下來，張達京成了中臺灣的首富，他所組織的「張振萬」墾號並邀集該區域的其他有錢人一同投資土地開墾事業。以張達京為首，秦登鑑、姚德心、廖朝孔、江又金、陳周文等六人組成後人所稱「六館業戶」，遍及大臺中地區，包含臺中市區、豐原、神岡、大雅、潭子等處。甚至西達海線的清水，南邊直到彰化市、芬園鄉，都有他們名下的土地。於是地方上人士就以「張百萬」稱呼之。

張達京及其家族在大臺中長年的經營，不但晉升為富豪，更促使臺中平野布滿了漢人墾民。然而，也因而使得巴則海族（或譯為巴宰）平埔族人的生存空間急遽縮小，生計困難，造成日後巴則海族集體遷徙宜蘭羅東及南投埔里 (7)，或退回祖居地苗栗縣三義鯉魚潭的情況 (8)。

乾隆 15 年（1750 年）起，官府開始整肅勢力過大的漢人通事，乾隆 26 年（1761 年），張達京已經 72 歲，遭到革職，並被遣送回籍，最後於乾隆 38 年（1773年）逝世原鄉，享壽 84 歲。

目前張氏家族在臺的子孫上達一、二萬人。後人為紀念此一當年開拓先賢，特別在社口（今神岡）萬興宮，崇奉「皇恩特授功加副府張公達京長生祿位」，

昔日的岸裡城門。（國立臺灣博物館／提供）

日治時代發行的「葫蘆墩之月」明信片，顯示了葫蘆墩的原始樣貌。（秋惠文庫／提供）

其後人在現今臺中市豐原區翁社里所興建的張家祖厝「萬選居」，目前被核定為市定歷史建築保存。前臺中市長張啟仲、前臺中市議會議長張宏年、現任臺中市議員張瀞分、九族文化村創辦人張榮義等賢達，均出身自張氏這支龐大的家族。

張達京的任職年代

《豐原市志》記載張達京於雍正 3 年（1725 年）首任為岸裡五社總通事；國家圖書館《臺灣歷史人物小傳》記載張達京雍正元年（1723 年）任岸裡五社總通事；中華民國客家委員會官網「哈客通訊摘錄」記載張達京 34 歲得清雍正賞識，出理番通事，據此推算亦為雍正元年（1723 年）。以上各家所言在此一併錄之。

🦋 百變葫蘆墩──豐原地名沿革

〈豐原囝仔ㄟ歌〉歌詞中提到「豐原古地名叫葫蘆墩」。關於「葫蘆墩」古地名有一則漢人觀點的神話傳說，據說當年八仙之一的張果老將火葫蘆遺落於此，因而成為葫蘆寶穴，每當出現火燒，當地人就認為是大仙在發威。更傳聞葫蘆裡有隻管白銀的兔仙，每當噴火，正是葫蘆在吐金錢。又有傳說清晨的時候，東方還未發白，周圍尚籠罩著朝霞的葫蘆墩上、墩下，彷彿有一匹馬在打著圈兒跑。除了白馬之外還有一隻白兔兒，比普通的兔兒來得又大又肥。牠不和白馬在土墩下跑，卻在土墩上的草蓬裡跳著，從這邊的草蓬跳到那邊的草蓬去，一跳就是四、五尺遠，不過被人追上時，卻一轉眼就失去了蹤影。因此，人們都說牠們是管白銀的神兔與神馬───一隻白兔管的是一千兩，一匹白馬管的是一萬兩。知名鄉土劇集《戲說臺灣》還曾將這段本地傳說拍攝成《火燒葫蘆墩》單元呢！

其實說起早期豐原的地名，除了葫蘆墩這個眾所周知的老地名之外，也還有其它經歷多次變異的名稱。

有此一說，豐原地區在康熙年間以前，漢人足跡罕至，猶為漢人入墾前的最初原始景觀，草萊遍野，松柏叢生，所以原住先民就以「泰耶爾墩」來稱呼這片大地，意思是松柏林之意。

又據傳豐原以前是一片未經開墾過的荒野，本屬於平埔族 (9) 巴則海族岸裡社之地，原住先民將此地叫作「巴拉壇」。根據巴則海族的傳說，在葫蘆墩東方的觀音山古時稱作「Tupozuayaryuz」，意思乃是太古神從天上降予人間的靈地，在山麓丘地則稱為「哈拉旦」（Haluton），也是神子最初建立部落的位置。這個丘地分南北兩邊，南方的丘地在往昔是翁鬱的森林，到了清光緒 10 年（1884 年）

左右，才由漢人開拓變成耕地。另外有個說法是葫蘆墩的地名乃取自巴則海族之葫蘆墩社名「Haluton」，而漢人在此建立聚落後，就以「Haluton」的諧音字稱此地為「葫蘆墩」。

而最常聽到的是漢人說法，認為豐原大約到了康熙時期，漢人移民來這裡開墾，形成了漢人民族的小部落，由於當時地貌所見的舊有葫蘆里福德祠後之墩腳土丘、中陽里聚星觀（俗謂萬善堂）後之墩身土丘、故張麗俊先生宅（南村草堂，或稱水竹居）前墩頭土丘等三處堆形土丘，合起來看似一葫蘆形狀，遂稱呼本地為葫蘆墩。

以上這些說法，不管是「巴拉壇」、「哈拉旦」（Haluton）或是巴則海族之葫蘆墩社名「Haluton」，其實都與「葫蘆墩」在發音上有著同音或諧音的音韻關係。

後來清廷派劉銘傳 [10] 為首任臺灣巡撫。劉銘傳來臺後，見豐原土地肥沃物產富饒，便命名為「富春鄉」；又因四季如春、山明水秀，氣候適宜農作物生長，與大陸蘇州景色相似，而且多出美女，於是又有「小蘇州」之稱。目前豐原區的「富春國小」校名，就是因為這個緣由而來的。

光緒 21 年（1895 年）5 月，清廷將臺灣割讓給日本。在大正 9 年（1920 年）以前，日本人把原有的「葫蘆墩」地名改叫作「可樂墩」。因為此地有墩頭、墩身、墩腳三座一樣高大的土丘，讓人聯想到「香爐」的三隻腳，而香爐的日語發音成「可樂」（こうろ／Kouro），日本人就把此地稱為「可樂墩」。

日本治臺後，大正 9 年（1920 年）將原本的臺灣縣改為臺中縣，把今日的豐原、潭子、大雅、神岡、社口等地合併為「豐原郡」（とよはら／Toyohara），從此本地開始有豐原之名。改名之關鍵，據說與大正 5 年（1916 年）葫蘆墩南坑居民張朝海先生以「葫蘆墩五號米」參加全省比賽榮獲「金賞獎」有關。

當時臺灣的農產品是以米為大宗，因為葫蘆墩土地肥沃，氣候溫和，物產豐富，農田和水利開墾成功，非常適合農作物生長。日本人因而將蓬萊米在葫蘆墩（即今豐原區東北方，葫蘆墩圳和旱溪上游南坑溪沿岸，東至頭科山之間）試種，成功收成後，「知事」親自送回日本給天皇食用，所以又稱「獻谷米」。

提供天皇食用的葫蘆墩米，均集中在目前豐原市南田里，也就是現在的水源路豐村國小附近種植，這也使得「葫蘆墩米」聞名全島，而葫蘆墩也就成為臺灣第一米倉。二次大戰結束後，一直到 1953 年，日本政府仍會來臺購買葫蘆墩米作為御用米，因此居民都說豐原葫蘆墩米是臺灣真正最早的「御飯糰」。

而當時日治政府 (11) 正實施簡化地名的政策，因本地的米質甚佳、產量豐盛、肥沃田原綿延數百甲，遂將中國古代賜給日本的古印璽「豐葦之原瑞穗之國」（とよあしはらのみずほのくに「豐葦原の瑞穗の国」），自其中擇取「豐原」二字取代本地葫蘆墩古名，並且沿用至今。豐原區目前仍有小學以「豐原」、「瑞穗」為名，正是源自此一典故。這是在地耆老鄉親們對「葫蘆墩」改名「豐原」過程最常見的說法。但需注意的是，日本的漢字寫法是「豐原」（とよはら／Toyohara）。

葫蘆「墩」在何處？——行踏墩頭、墩身、墩腳

由以上所述，不管是漢人所稱的「葫蘆墩」，或是日本人所稱的「可樂墩」，都與當年墩頭、墩身、墩腳這三座土墩有關，將之視為豐原的文史地標應該是很恰當的。然而，環視今天豐原市區內這片灰色水泥叢林，那三座豐原文史地標的土墩而今又安在？恐怕很多年輕一輩的豐原人都已答不出了。

葫蘆墩的這三座土墩分成墩頭（也有耆老鄉親們稱「頂墩」）、墩身（又稱「中

墩」）、墩腳三段。墩頭（頂墩）位在現在
南陽里圓環東路、南陽路交叉處（先賢張麗
俊先生南村草堂宅前），由於圓環東路的闢
建，早已被鏟平；墩身（中墩）位在現在中
陽里聚星觀後方（自立街 132 巷），墩上以
前種植了綠樹，形成了一座小公園，如今則
為民間廟宇占據使用；墩腳位在現在葫蘆里
與富春里交界處、大街尾福德祠後方（中正
路 277 巷），目前僅剩直徑十公尺、高兩公
尺的小土丘作為遺跡。

　　葫蘆墩的墩頭（頂墩）因圓環東路的
闢建，早已被鏟平；我們在原臺中縣立文化
中心（現在為葫蘆墩文化中心）所出版的
《葫蘆墩老照片特輯》的老照片資料庫中找
到了一張先賢張麗俊先生故宅的照片，其中
墩頭（頂墩）的土墩似乎依稀略可窺見。

　　葫蘆墩墩身（中墩）位於現在中陽
里聚星觀後方（自立街 132 巷），是葫蘆
墩三座土墩中目前保存算是略較完整的一
座遺跡。但可惜的是目前該處上有三廟一

楊啟東畫筆下的墩腳土地公廟。（楊維哲／提供）

上圖：豐原三墩的墩身，攝於昭和 6 年。
　　　（取自《葫蘆墩老照片特輯》）
下圖：如今墩身所在處已改建為聚星觀等
　　　三座廟宇，墩身遺址位於其中一
　　　角。

體的建築，包括聚星觀（西洋式建築）、地藏王廟（唐式建築）、土地公廟（閩南式建築），係文化部列冊之重要地方文史地點，而該處土地目前也歸臺中市政府所有。

　　其中聚星觀位於豐原區自立街，建築外觀和一般的百姓公廟不同，有典雅的圓柱，為西洋式的建築風格，門前兩隻陶瓷獅子守門，右側牆壁掛著發起籌建的高橋央畫像，令人感念。探究聚星觀當時之興建，乃緣於日治時期大正 9 年（1920 年），日人高橋央任職於豐原郡頂街派出所，當時日本政府在臺灣各地大事開拓農地，當局卻連各處的墓地也標售給民間開墾。結果，有主的墳墓由其後代擇地安葬，無主墳墓則因開闢為耕地導致遺骨遍地皆是，慘不忍睹。

　　更據傳在清朝時，豐原地區發生戰亂，當時合葬無數陣亡者之遺骨也在此時被挖掘出來。高橋央看了極為不忍，後來在現址找到空地，商請烏牛欄聞人林慶全夫人出資，委請羅安先生設

墩腳位在現在葫蘆里與富春里交界處、大街尾福德祠後方，目前僅剩直徑十公尺、高兩公尺的小土丘作為遺跡。

計，興建納骨堂以安置這數百具遺骨，命名「豐原萬善堂」，後來改名「聚星觀」。而「聚星觀」名號及堂中對聯均出自本地先賢張麗俊之手，他生前積極參與豐原地區的公共事務，是極富民主思想的知識分子。

2011 年前後，附近民眾發現墩身（中墩）旁的地藏寺大肆擴建，竟然挖掉了土墩的三分之一，而此土地實為市政府公有地，幸經當地里長、鄰長、地方文史人士向公所、市（縣）政府舉發，最後經司法機關裁定拆除違建並恢復原狀，墩身（中墩）才得以保全。

葫蘆墩墩腳位於豐原著名的青草巷中（中正路 277 巷），隱身在菜市場裡頭，臨中正路是「小天使」玩具店，店的左邊巷子口有個「大街尾福德祠」的牌坊，順著巷

子進來即可到達墩腳所在位置。墩腳前方是福德祠，是在地人的主要信仰中心，福德祠周圍過去盡是賣青草藥的攤販；再環繞圓墩走一圈，發現菜市場的老房子真是圍著圓墩而建，且多半是倉庫，偶有幾間看來已經廢棄；至於周邊外圍，現在早就大樓林立了。

目前墩腳的現狀成圓形，底端均以水泥固定，周邊有狹窄的通道連結菜市場的許多老房子。在參觀葫蘆墩墩腳時，可以特別注意一下土地公廟前後所陳設的狛犬及石燈籠，它們是由豐原神社的舊址（今南陽國小）所搬過來的。狛犬（こまいぬ，Koma-inu）意指獅子狗，為日本傳說介於狗和獅子之間的動物。「神社の入り口前に阿吽一対の狛犬が鎮座している。」這是日本一般對神社入口那對面對面的動物之描

述。狛犬最早只出現在日本皇宮，作為宮廷中的吉祥物；後來隨著佛教的日益普及，才漸漸在日本民間出現，之後再演變成鎮守神社的吉祥獸。

像這樣的日治時期遺物，因多年來政治意識形態的關係，今日已不多見，殊屬難得，可惜的是石燈籠經當地人上漆後已原貌盡失。所幸，2014 年臺中市政府、豐原區公所斥資將墩腳整理為「墩腳綠園」(12)，總算讓豐原地名起源的地標得到較好的保存。

原豐原神社的狛犬目前安頓於墩腳土地廟前，樣貌完好，也見證了時代歲月的變遷。

🦋 臺灣的小縮影——豐原多元族群大熔爐

豐原人口的族群分布就像是臺灣的小縮影。

鄭氏東寧王朝 (13) 以前，豐原區為平埔族巴則海族岸裡社與烏牛欄社（今南嵩里的烏牛欄溪一帶）的屬地。本區早期漢人移民大多以閩、粵籍為主。乾隆初年（1736年），閩人廖舟（近人有考證應為廖丹，廖舟為前人筆誤的說法）率眾入墾。雍正年間，張達京與岸裡社平埔族土官潘敦仔協議，得獲允開墾此地並興鑿水圳，更邀同大批廣東鄉人至此開拓，遂建立大、小田心等客家聚落，從此漢人開始大量在此落腳；與此同時，巴則海族則因為「割地換水」政策，逐漸失去原始居住地，部分巴則海族人遂移居至宜蘭羅東及南投埔里愛蘭里一帶，未移居的巴則海平埔族人則大多已漢化。

光復之後，隨著國民政府播遷來臺的軍公教人員則是區內不同於先期入墾閩、客聚落的人口族群，包括位於豐原區中正路兩側的甲保廠及忠勤新村、安置黨公職人員的育樂新村，以及舊時林場林業遺跡的「逸仙莊」日式木造建築宿舍、辦公廳群落，都是戰後新移民的宿跡。

從平埔族巴則海原住民族到閩南人、客家人、戰後新移民，都在這塊土地上各占有相當比例。所以說豐原的人口族群分布真的就像是臺灣人口族群的小縮影，甚至有在地的政治觀察家認為豐原的政治光譜移動，對全國各次重大選舉動向、結果經常是具有觀察指標意義的。

我們就以客家人在豐原 (14) 的分布為例來看，依據 2013 年「臺中市豐原區客家文化生活環境資源調查研究計畫」，目前豐原區人口約十六萬人左右，客家人概估約有五萬人，因此被列為「客家文化重點發展區」。有趣的是臺灣主要五大客家原

豐原的信仰中心慈濟宮，供奉客家人普遍信仰的三山國王，是民族融合的一盞明證。

鄉移民 (15)「四海大平安」（四縣客：因為隸屬於嘉應州梅縣，大陸也稱嘉應客、海陸客、大埔客、饒平客、詔安客），再加上福建的「汀州客」、「南靖客」，廣東的「潮陽客」、「河婆客」，這些不同的客家原鄉居然都可以在豐原找得到子嗣，成為豐原客家族群融合的一大特色，也印證了豐原為臺灣族群大熔爐的說法。只是由於長期都市化、閩客共處及多元族群世代融合等因素，許多在地客家人後裔早已不熟諳客家音。（「豐原主要客家族群聚落分布表」請見書後附錄。）

　　從早期葫蘆墩到豐原鎮、豐原市、豐原區，這裡不但是車水馬龍的行政中心、農林業的集散區、中小企業、銀行和診所林立，更有豐富的農產品、美麗的漆藝以及民以食為天的葫蘆墩米和精緻美味久享盛名的糕餅。豐原的開發沿革與地方美食、葫蘆墩圳、地方賢達文人雅士以及來自各方的族群文化息息相關，因而塑造出如此豐盛的豐原樣貌。

第二章

豐原母親河的身世

作家劉克襄相當關心故鄉臺中的發展，他在電台策劃「新故鄉動員令」專題，訪問本書作者楊宏祥，分享豐原人所追求的「水岸豐原」願景。

　　以「看見最在地的臺灣生命力」為主題的「新故鄉動員令」，由《中國時報》策畫、正聲廣播電臺執行，迄今已運作了四年多，是國內跨媒體合作的重量級鄉土關懷主題廣播節目。「新故鄉動員令」每一集報導國內一個地方、一個角落，以及用正面的力量試圖改變、振興家鄉或提出有遠見看法的一群人。第一代主持人是導演兼作家的小野、吳念真，第二代主持人是牙醫師作家李偉文，第三代主持人是《中國時報》前社長王美玉及現任副總編輯兼作家張瑞昌，去年起接棒的主持人是知名的自然關懷作家劉克襄老師 (16)。

　　「繁榮葫蘆墩促進會」多年來致力於豐原地方文化的深耕及葫蘆墩圳掀蓋整治理想之推動，受到「新故鄉動員令」製作團隊的矚目，特別邀約成為該節目的第

右頁圖：刊載於 2015 年 4 月 27 日《中國時報》A8 版「葫蘆墩圳掀蓋　還給豐原母親河」專題報導。（《中國時報》／提供）

被柏油覆蓋的鬧區 曾有條清澈溝圳蜿蜒

父潑冷水不看好「封40年怎可能掀開？」

走出豐原火車站，來到著名的慈濟宮及廟東商圈，人潮及車潮川流，看起來和其他城鎮差不多。許多人都不知道，被水泥及柏油覆蓋的鬧區，曾經有一條清澈溝圳蜿蜒其中，老一輩豐原人的童年就在圳邊度過。

為了重現豐原市區水岸景觀，豐原國中退休教師楊宏祥與多位關注地方發展的人士，2011年成立台中市繁榮葫蘆墩促進會，推動停車場掀蓋，要讓葫蘆墩圳重見天日。

10多年前的一個機緣，讓楊宏祥踏進地方文史工作。

因為帶領學生推動鄉土文獻數位典藏，發現豐原雖有300多年歷史，但應留存的古蹟幾乎流失殆盡，促使他認真思考「還能幫豐原找回什麼？」

楊宏祥強調，豐原一路以來的發展都和葫蘆墩圳有關，如果能夠恢復親水空間，搭配過去的特色產業，就能發展文化觀光，將為豐原經濟發展注入活水。

回顧推動掀蓋的歷程，楊宏祥自嘲，「我們是瘋子」，才會去做這個不討好的事。

他說，倡議之初遇到很大阻力，許多豐原人的直覺反應是「你們是神經病」、「會被人打死」，連他父親都大潑冷水，質疑「封了3、40年的老東西，怎麼可能掀開？」

促進會成員並沒有因此退縮，積極舉辦活動讓民眾對葫蘆墩圳有更深的認識，同時發行刊物介紹豐原的歷中文化、隱藏景點等，逐步爭取大眾的認同。另一方面，他們也找政治人物溝通，尋求支持。

雖然地方上還有反對聲音，經過促進會持續努力，已有愈來愈多的豐原人支持掀蓋訴求；去年底的九合一選舉中，兩位市長候選人也都承諾推動。

楊宏祥和促進會成員的「瘋狂」想法，也許真的有機會改變豐原的面貌與未來。

（執筆：劉永祥）

實現水岸願景 讓文化與經濟重生

新故鄉願景

葫蘆墩圳掀蓋 還給豐原母親河

葫蘆墩圳是台中地區重要灌溉水源，其東汴幹線貫穿豐原市中心，1980年代地方政府因應市區發展需要，將其中1.8公里加蓋作為停車場用地。現在，為了豐原長遠發展，一場以葫蘆墩圳停車場「掀蓋」為主軸的民間運動正熱烈展開。

2010年底台中縣市合併升格，原為台中縣行政中心的豐原頓時成為「台中市豐原區」。一群地方人士擔憂豐原將邊緣化，期望藉由恢復市區精華地段的親水空間，再創家鄉繁榮。

推動水圳掀蓋的臺中市繁榮葫蘆墩促進會監事楊宏祥，參加由《中國時報》與正聲廣播合作的「新故鄉動員令」節目，接受節目主持人、作家劉克襄訪問，描繪他們追求的「水岸豐原」願景。

腹地小發展快 拆古蹟比台北勤

楊宏祥指出，豐原可說是個悲傷的城市，擁有300年的開發歷史，留存的古蹟卻少之又少。豐原腹地小，發展快，拆舊蓋新成為開發時的選項，結果就是拆古蹟的速度比台北還快。

他說，豐原曾是台灣重要的木材、香蕉集散地，擁有8家電影院及上百家旅舍，也是全台金融機構最密集、醫生最多的鄉鎮市。但1980、90年代後許多工廠西遷大陸，豐原面臨成長停頓、甚至衰退的困境。

身為台中人的劉克襄也感觸頗深，他說，現在從火車站走到廟東夜市好像就這樣而已，但「我記憶中的豐原不是這樣」。台中市區也有很多東西消失，但仍看得到遺跡的結構，豐原卻好像真空，溪溝蜿蜒的景象也看不到了。

採用生態工法 讓傳統特色復甦

楊宏祥表示，葫蘆墩圳封蓋後，豐原人就少了一個親水空間，也失去對這條「母親河」的歷史記憶，連帶地改變了豐原的面貌。

他強調，葫蘆墩圳封蓋前，豐原的發展呈現上升趨勢，封了之後，就看不到向上走勢。過去就有人提過掀蓋，隨著縣市合併，豐原過去賴以繁榮發展的條件都不存在了，大家覺得掀蓋的時候到了。

訪談過程中，劉克襄提到，掀蓋不應只是恢復溪溝，更要恢復昔日繁榮，讓過去特有的東

葫蘆墩圳停車場

↑老一輩豐原人的童年是在葫蘆墩圳度過，圖為民國42年民眾在圳邊戲水。（繁榮葫蘆墩促進會提供）

←葫蘆墩圳停車場貫穿豐原市區精華地段。（繁榮葫蘆墩促進會提供、劉永祥攝）

↓豐原市區外的葫蘆墩圳岸，已整理為宜人的步道，成為民眾休閒的好去處。（劉永祥攝）

楊宏祥

主持人：劉克襄

（王錦河攝）

謝錦芳、劉永祥
劉永祥、王錦河

台中市豐原區

創造豐原大未來

台中市豐原區
41.1845平方公里
166,524人（2015年02月）
4,043人／平方公里
臺中市繁榮葫蘆墩促進會
所有豐原鄉親
文化觀光是豐原可長可久，並有可行性的選項

豐原區戶政事務所
永祥

車場掀蓋的地方人士以文化觀光推動豐原生。圖為原東勢林管處。（劉永祥攝）

165站主題，由繁榮葫蘆墩促進會監事暨《葫蘆墩季刊》主編楊宏祥代表出席受訪，與全國聽眾暨讀者分享繁榮葫蘆墩促進會的夥伴們追求的「水岸豐原」願景。

　　劉克襄老師與《中國時報》團隊為此下了一個很好的標題──「葫蘆墩圳掀蓋，還給豐原母親河」。回憶這一段過程，「豐原母親河」是「新故鄉動員令」製作團隊送給豐原人、葫蘆墩圳最美好的禮物，也是最真切的定義。豐原從漢人入墾開始，一路以來的發展都和葫蘆墩圳有著密不可分的相關，說葫蘆墩圳是豐原母親河，真的是最貼切的定義。

用人命換得的水──見證漢人初墾時期爭水的艱辛

　　在進一步跟大家探討葫蘆墩圳開圳的歷程之前，我們先來分享一下豐原老鄉親們傳說的「人命水」故事，希望大家更能體會當初漢人入墾中臺灣初期 (17)，掌

萬定汴曾發生「人命水」事件，顯示開墾之初掌握灌溉水資源的重要性與爭水械鬥的艱辛現實。

握灌溉水資源的重要性與爭水械鬥的艱辛現實。

先期漢人移民住入墾臺灣之初，常因爭水而彼此械鬥，在豐原地區一樣曾有爭水械鬥的事情上演。今天的葫蘆墩圳聯絡水道在舊朴子口和葫蘆墩本圳交接處，緊鄰角潭路邊，有一座水門「萬定汴」，鄉親們俗稱為「人命水」。1977年，石岡水壩興建完成之後，大甲溪下游水位變低，葫蘆墩圳之舊進水口因而失去引水功能，所以農田水利會與水利署就設計自石岡水壩(18)引水經「南幹線渠」流到萬定汴水門，再注入葫蘆墩圳本圳。據說萬定汴「人命水」此處就是本地早期開發史中爭水械鬥的歷史舞臺。

話說清康熙22年（1683年），鄭氏東寧王朝降亡，清廷經施琅力陳，次年（1684年）4月正式設立臺灣府，隸屬於福建省，並將鄭氏東寧王朝時期之承天府、天興州、萬年州等行政區域略加調整，改為諸羅縣、臺灣縣、鳳山縣三縣。諸羅縣轄區與鄭氏東寧王朝時期的天興縣（州）相同，東至大龜佛山，西至大海，南至新港溪與臺灣縣交界，北至雞籠城。豐原地區即屬於諸羅縣轄區。康熙60年（1721年），清廷在北臺中盆地設置「貓霧捒堡」，又設置彰化縣，本地改隸彰化縣，分為「貓霧捒東堡」及「貓霧捒西堡」。雍正12年（1734年）更刪去「貓霧」二字，分別簡稱為「捒東上堡」及「捒東下堡」，並分出大肚堡一堡。豐原地區屬「捒東上堡」所轄。

捒東上堡是臺灣中北部自清領時期至日治初期的一個行政區劃，其範圍包括現今臺中市的神岡區全部、豐原區全部、石岡區全部、東勢區全部、潭子區全部、西屯區東部，以及苗栗縣的卓蘭鎮南部。當年漢人大量移民墾殖今日豐原的溪底、神岡的四股地區一帶農田（當時豐原以西，今臺中海線則為西堡）。

乾隆27年（1762年）5月，因東、西堡用水之爭，彰化縣貓霧捒巡檢戴宏

神岡區岸裡國小設有一座古碑亭，亭內保存各式古碑，記錄著水源爭端的始末。

度立「水圳杜訟碑」，以解決東、西堡墾殖業戶、佃戶引水之紛爭，此碑現存置於臺中市神岡區岸裡國小內岸裡文物藝術館「古碑亭」。當時爭水起因，主要就是每當遇到乾旱之年，葫蘆墩上游東堡之農戶就把全部的圳水堵住，而西堡缺水無奈，只好付諸武力解決。碑文大略敘述：「葫蘆墩圳上游，築有三埤，後因亢旱西堡缺水，官令拆去最後一埤，不許東堡廖盛等復築，其第二埤，還有旱年，不得以草薦遮阻水流，須聽其自流，西堡蕭希旦等亦不藉端強拆廖盛等二埤，永遠杜息訟端。」但是因為圳水灌溉對農民的利益極為重要，雖然官方明令規範，但是爭水事端自始至終還是無法完全根絕。

到了乾隆 33 年（1768 年）4 月，東堡又再度將大甲溪、葫蘆墩圳水盡斷流，西堡居民前來強行拆除，在爭執過程中，西堡有三人死亡，此即為「人命水」事件。當時彰化知縣成履泰為此，在乾隆 34 年（1769 年）又立「分爭水利示禁碑」，碑文嚴禁東、西堡民番分爭大甲溪水。從此不管亢旱，以每年 2 月初二土地公生日起，東堡必須讓出十分之三的水給西堡使用，分水之處即今萬定汴水門的所在。因為必須讓出十分之三的水，所以地方老鄉親們又稱此地為「三分水」；又因為這十分之三的水是用西堡人命所換來，所以在地人亦稱為「人命水」。

這段故事雖然是一起過去開墾史上的悲劇，但即使是幾百年後的今日，聽了這故事還是讓人心有所感，更覺得這是每個世代都不應忘記而必須引以為鑑的事典。即使是號稱為文明世紀的今天，「人命水」事件難道就沒有以其它形式持續在上演著嗎？而「三分水」的事典恐怕也更值得今日政界、商場、社會上爾爭我奪的人們體會與深思。也藉著這個故事的流傳，我們可以了解到先期漢人移民入墾這塊鄉土之初，開鑿水圳、掌握灌溉水資源 [19] 的重要性與其對各墾區後來歷史影響之重大關聯。

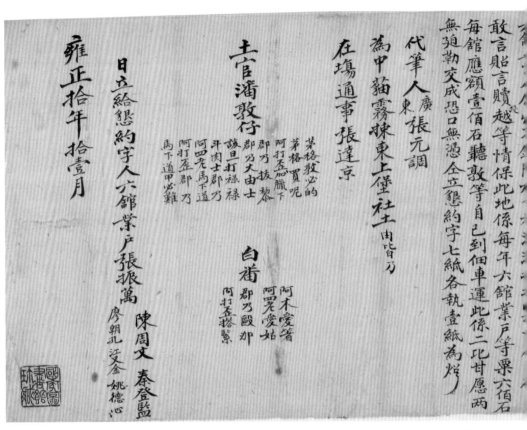

六館業戶公立給墾字稿，上載六館業戶共同合作開發水渠的義務與利益。（國家圖書館／提供）

為了種植生命——葫蘆墩圳開圳的時空背景

豐原母親河葫蘆墩圳為臺灣中部最老的灌溉水利埤圳之一，它是一條橫跨豐原市區的水利渠道，也是提供灌溉臺中盆地的主要水利系統。

農業是任何國家、社會的重要立國基礎，尤其華人歷史自來就以農立國，所

公仝立給墾字人六館業戶　廖振萬　陳周文　秦登監　岍理搜揀　江又金　姚德心
烏牛欄舊社等社土潘敦仔茅格敦必的茅格買呢阿打盃乃搭繫　白番敦等綠敦等
憨郡乃大由士該旦打祿祿阿四老馬下道馬下道甲必難　阿木愛著阿四老愛姑阿打盃加臘下郡乃搭
界內之地張振萬自己能出工本開築埤圳之位水源不足東西南
勢之旱埔地歷年播種五穀未有全收奈眾番鳩集安議中
向憨通事張達京與四社眾番相議請到六館業戶能出工本
募工再開築模仔籬口大埤之均分灌溉水田者歎等愿將東南
勢之旱埔地東至旱復溝直透賴家草地為界西至張振
萬自己田地草地為界南至石埔透至阿家草地與張振萬石
界北至岍理橫透至西與張圳汴為界此係敦四社眾番
之地雖侵碍他人界限眾番情愿將此酹工本付與六館業戶
前去招個開墾陛耕永遠為葉敦等四社日後子子孫孫不敢
異言爭今據通事張達京代敦等請到六館業戶番
共出本銀陸仟陸佰兩開大埤之水與番灌溉當日議明六館
業戶開水到公圳汴內之水定作壹拾四分每館應該配水式分
至界內付與六館業戶前去開墾以抵開水銀本六館業戶與
留額式分歸番灌溉番田其東南勢之旱埔地照原踏四
四社眾番敦等當日議明舉為六館以張振萬之首也歷年築
理模仔籬口大埤之水以及圳水灌溉民田番田其保水源充足

以灌溉用的水利之興修攸關國計民生至鉅。臺灣是個典型的海島國家，由於四面環海，河川密布，也是個水資源豐富、水利事業相當發達的地區。水利的發展不僅支持著農業生產，同時也促進國家、社會經濟繁榮。

　　然而臺灣因為中央山脈與西部平原的海拔高度落差極大，縱然雨量豐沛，卻苦於留不住水，而常有苦旱的現象，所以要開拓土地、發展農業就必須先解決灌溉水的問題，修埤圳因此在臺灣開發歷史上非常興盛。說到臺灣的水圳，大家最

番社采風圖：捕鹿、捕魚、種芋、刈禾。（中央研究院歷史語言研究所傅斯年圖書館／提供）

熟悉的莫過於日治時期八田與一 [20]（はった よいち，1886 年～ 1942 年）所修築的嘉南大圳 [21]（臺南烏山頭水庫）。但事實上，清領時期臺灣的水圳興築就已經非常發達，例如北部的瑠公圳、彰化的八堡圳 [22] 與南部的曹公圳 [23] 等。

　　臺灣早期的水利設施從開發形態來看，有所謂官辦及民間興築兩種。由於臺灣南部開發較早，因此官修的水圳大多位於南部地區，而後來的中、北部開發，大多是由民間集資合股開鑿。張達京為首的「六館業戶」所開鑿的葫蘆墩圳，是臺中盆地較早開發的水利埤圳，而其以「割地換水」的方式也為臺灣開發史上提供一個漢人入墾取得土地的有利模式，同時亦為大臺中地區奠定了後來經濟發展的基礎。

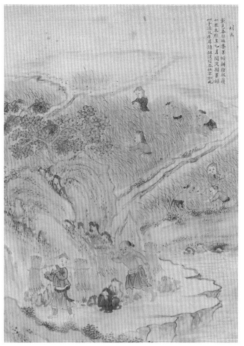

我們在前章〈從張達京話說葫蘆墩〉裡提過，在漢人入墾前、早期的豐原地帶原為一片大荒野的原始景觀。雖然我們從國立故宮博物院的院藏臺灣原住民圖檔文獻及中央研究院歷史語言研究所典藏清乾隆年間（1744年～1747年）巡視臺灣監察御史命工繪製之原住民風俗圖 (24)《番社采風圖》，可以看得出來平埔族原住民也有農耕活動，但不熟諳埤圳工程，所以農業活動還是有限的。

到了鄭氏東寧王朝降清之後，才陸續開始有閩、粵等地漢人移民入墾。後來平埔族原住民岸裡社等陸續歸化，張達京以「割地換水」方式與平埔族原住民訂立墾約，從此招來大批漢人進入本地從事開拓，這便是臺中水利設施之濫觴。豐

番社采風圖：耕種。（中央研究院歷史語言研究所傅斯年圖書館／提供）

平埔族原住民以漁獵為生，因此較不熟諳埤圳工程，無法掌握水的利用。（國立故宮博物院／提供）

原地區臨近大甲溪流域，水源豐富，在地理環境上就具有優異的農墾條件，後來葫蘆墩圳等灌溉系統建立完善後，加上臺中平原土地肥沃，良田阡陌成為了當時臺灣重要的米倉，尤其「葫蘆墩米」更是聞名中外。

再從地形觀察來看，本區位於大肚臺地東麓與臺中盆地北端之大甲溪沖積扇延伸地帶，由於引進水源極為便利，而急速形成清領時期早期漢人入墾移民的墾殖據點，而土地開發更有賴於大規模的水利修築，墾務才比較能有所進展。清領時代在臺灣中部的諸水圳中，則以葫蘆墩圳最為重要，同時亦最具有歷史意義。

葫蘆墩圳早期又稱「貓霧捒圳」。關於貓霧捒的名稱，各種不同歷史資料中用字有頗多差異。捒，音ㄕㄨㄟˋ，臺語音 suk，陳炎正主編的《豐原市志》作「貓

平埔族原住民搭建茅舍定居。（國立故宮博物院／提供）

霧捒」，在國中課本翰林版與高中歷史課本翰林版，也都是作「貓霧捒」；部分舊文獻有些寫作「貓霧棟」，棟音ㄙㄨㄟˋ；又有些資料寫作「貓霧揀」，揀音ㄘㄜˋ，在林能士教授所編的高中歷史課本、南一版及三民版的大學教科用書、薛化元教授所編《臺灣開發史》所寫的便是「貓霧捒」；網路上也有資料寫作「貓霧棟」，棟音ㄙㄜˋ。

17世紀時，臺中的原住民 (25) 是以岸裡諸社與貓霧捒社為主，到了康熙54年（1715年）歸化清朝，此後漢人大量湧入臺灣中部墾殖。康熙55年（1716年），

因為岸裡社的頭目阿莫平亂有功，乃請墾貓霧捒草埔地，諸羅知縣周鍾瑄核准其範圍為：東至大山，西至沙轆地界大山，南至大姑婆（西屯），東南至阿里史（潭子），西南至捒加頭（西屯水崛頭）地帶廣平草地。可見當時臺中市的西屯和北屯以北到豐原的地區都屬於平埔族原住民所有。

但因為平埔族原住民不熟諳埤圳工程，無法掌握水的利用，加上原住民人口比較稀少，康熙年間之後漢人大批移民臺灣從事開墾的工作 (26)，而原住民部落附近部分草埔地雖有耕種，可是因為缺少灌溉設施，平埔族居民 (27) 多以旱作薯芋為主要糧食，也少有種植蔬菜的習慣，各種作物生長因缺乏經營性之灌溉，因此產量收成普遍不佳，農耕發展受到侷限，開圳取水乃成為漢人墾殖開發成功的關鍵所在。

雖然前面數次提到，對漢人入墾臺中盆地貢獻最大，當首推張達京。但是整個葫蘆墩圳開鑿興闢規模龐鉅，耗時經年，除了張達京家族及岸裡社土官潘敦仔家族之外，當然也有其他當時的地方豪族參與葫蘆墩圳的興築。其中大家最耳熟能詳的大概就是「六館業戶」了。

雍正初年（1723 年），張達京與岸裡社土官潘敦仔訂立「割地換水」墾約，教化平埔族原住民耕作，且著手開發埤圳。雍正 10 年（1732 年）張達京再與岸裡社番訂立墾約，並邀同漢人秦登鑑、姚德心、廖朝孔、江又金、陳周文等共同組成「六館業戶」，擴大埤圳的開發。但近年來有些文史工作者考證認為，當時有些參與者由於父親健在，兒子不便掛名，而以父親名義參與，所以中間可能有幾位的兒子才是真正負責參與「六館業戶」的人。其中比較有可能的是：秦登鑑的兒子秦阿生、姚德心的兒子姚福隆、陳周文的兒子陳元謀，我們一併在此酌錄。

「六館業戶」共出資六千六百兩大銀鑿圳（上埤），從樸仔籬口築埤圳，引

進大甲溪水 (28) 灌溉揀東堡一帶千餘甲田地。至乾隆 12 年（1747 年）竣工、圳長四十餘里，當時稱之為「貓霧揀圳」（後來的葫蘆墩圳乃合上、下埤二圳而成）。下埤開圳資本達九千三百兩，遠超過上埤的費用。下埤至乾隆 50 年（1785 年）前後，灌溉面積已達一千餘甲。

「六館業戶」各自分配開墾的地區大約是：張振萬（張達京）負責神岡、大雅、潭子等地；秦登鑑負責三十張犁（今北屯國小附近）、二分埔（今文心國小附近）、三分埔（今松竹國小附近）；姚德心負責上牛埔仔（今水湳機場附近）、石碑仔（今上石國小附近）；廖朝孔負責港尾仔（今中山高速公路中清交流道附近，目前西屯區的港尾里）；江又金負責牛埔仔（今北屯區同榮里及西屯區港尾里之一部分）。「六館業戶」的開墾對於漢人入墾在各該區域後來的發展，實有巨大的影響。

其中我們就以廖朝孔為例來看「六館業戶」對中臺灣漢人開發的影響。廖朝孔（1678 年～ 1736 年），字會文，號尊聖，是張達京開鑿葫蘆墩圳最重要的左右手；清康熙 17 年（1678 年）在福建省漳州府詔安縣二都官陂社藍田樓出世，卒於清乾隆元年（1736 年）5 月 17 日或 4 月 10 日，享年 63 歲，是福建省漳州府詔安縣的客家人，屬於張廖家族，為臺中西屯地區的重要開拓者。

雍正 12 年（1734 年）之間，廖朝孔接受張達京邀請，加入「六館業戶」，以「割地換水」方式共同開發臺灣中部平原。當時以廖朝孔為墾首的墾號持有地分布在永興庄一帶（即今臺中市西屯區港尾里一帶），廖朝孔便成為開發西屯地區的重要人物，其子孫繁衍也多分布在這一個地區，港尾里有一間清武家廟「垂裕堂」便是紀念他和歷代張廖祖先的祠堂。

🌿 要土地還是水源？——割地換水、供水換地的爭議

　　不管是討論葫蘆墩圳的開鑿帶動豐原的開發歷史，或者笑談「平埔族駙馬」、「葫蘆墩張百萬」張達京的傳奇故事，「割地換水」策略無疑是其中成敗的重要關鍵因素。然而，「割地換水」這一個歷史關鍵性策略，在傳統漢人記敘與平埔族巴則海族人的觀點卻有著截然不同的評價。

　　當我們走訪坐落於成功路旁的豐圳公園時，除了瞻仰張達京與總頭目潘敦仔塑像外，可以特別注意一下塑像紀念碑文，我們在此特別著錄該碑文如下：

〈新建鄉賢張達京潘敦仔塑像碑記〉

　　豐原市舊名「葫蘆墩」亦稱「富春」，原為平埔族系巴宰族群居生活地，土沃泉甘，又得大甲溪水之利，凤稱產米之鄉，以「葫蘆墩米」聞名遐邇，日治時易以今名，為臺中縣人文發展中心。而推本溯源，先賢張達京、潘敦仔攜手開闢應居首功，至今居民猶沾其澤。

　　潘敦仔，巴宰名為敦·后那，後清廷賜以潘姓，任岸裡社第三代土官。先賢張達京，廣東大埔人，康熙年間（十八世紀初），年二十餘，隻身渡臺至岸裡社，為社眾醫治瘟疫，教導耕作，頗受崇敬，土官阿莫（潘敦仔之祖父）以女妻之。至雍正三年，更為岸裡社總通事。

　　張達京既任通事，並得土官信任，遂致力於土地之開發。雍正年間，張達京與潘敦仔採取「割地換水」方式，興鑿水利，拓地日廣；張氏復邀秦登鑑、姚德心、廖朝孔、江又金、陳周文等閩粵漢人組成六館業戶，開鑿貓霧捒圳（日治更名葫蘆墩圳）引大甲溪水灌溉捒東堡千餘甲土地。於是漢人大量移入，而社眾亦從漢

俗、互通婚，樹立族群融合典範，並奠定本市繁榮丕基。

本市目前工商發展，一日千里，為不使人文史蹟，湮沒無聞，特擇定公園中心位置，雕塑張、潘二先賢塑像，供全體市民瞻仰，以表彰前人拓荒地、闢良田之艱辛，並垂為後市之典範。

市長張溢城題
中華民國八十七年十月吉日

碑文所載大意是張達京任岸裡大社「理番通事」，教化先住民耕作，且著手開發埤圳，以灌溉推進土地的開拓，與岸裡社平埔族訂立「割地換水」墾約。原本平埔族人不知鑿水圳灌溉旱埔，致使所種五穀歷年失收，乃與張達京議定；能出工本錢募工鑿圳引水灌溉者，巴則海族人願以西勢阿河巴埔地換取十分之二的圳水，而其餘十分之八則留漢田灌溉（舊下埤）規劃開發。而這樣的開墾方式，日後也成為原住民 (29) 和漢人合作開墾土地的模式。

日後閩粵移民大批湧至，奠定了今日大臺中繁榮的基礎。至雍正 10 年（1732年），就連現在的何厝、惠來里、林厝和西大墩也逐漸有漢人來開墾。漢人開發中臺灣始於康熙年間，而中臺灣開發是以岸裡大社為核心逐漸向外發展，所以岸裡大社的發展在臺灣開發史上占有重要的一頁。這大概是我們從教科書上讀來對「割地換水策略」的標準和認知。

然而在我們深入探究這段歷史過往事蹟時，卻可以找到許多不同於這樣認知的訊息。在「臺灣巴則海族群文化協會」的探究下，認為「割地換水」事件有諸

右頁圖：岸裡社頭目潘敦仔像。（國立臺灣博物館／提供）

多疑點，甚至有與巴則海族人口傳歷史事實不合之處，「割地換水」案疑似為歷史遭漢人單向美化的版本。

「臺灣巴則海族群文化協會」[30] 認為這段歷史首先令人遺憾的是張達京在大臺中長年的經營，使得臺中平野布滿漢人墾民，也使得巴則海族人的生存空間急遽縮小，生計困難，雙方的合作關係也成了歷史的記憶，乃至於造成日後巴則海族集體遷徙宜蘭羅東及南投埔里[31]，或退回祖居地苗栗縣三義鯉魚潭的狀況。因此，雙方還曾互相控訴。張達京也因為引水與侵墾土地紛爭，後來遭到清廷驅逐回籍，最後逝世原鄉。

事實上自從張氏家族大量拓墾以來，漢人與平埔族巴則海族人之間確實經常發生灌溉取水的糾紛，所以當時的清廷政府特地為此立了三座石碑，並列出相關條例以避免糾紛的發生。

第一座古碑為「勒買番穀示禁碑」，於乾隆24年（1759年）9月所立，碑文嚴禁胥役、通事等於各地「番地」瞞官舞弊勒買番穀情事；第二座古碑為「水圳杜訟碑」，於乾隆27年（1762年）5月所立，碑文述東、西堡業戶、佃戶引水紛爭，巡檢司為杜絕爭訟事特立此碑；第三座古碑則是「埤圳水份碑」，於乾隆58年（1793年）9月所立，碑文述應遵守埤圳水份灌溉埔地為田事，似與「水圳杜訟碑」有關，大多記戴年月日及工事狀況。

上述這三座碑令，「勒買番穀示禁碑」與「水圳杜訟碑」目前保存在臺中市神岡區岸裡國小內的古碑亭中，可惜年代久遠，碑文已然斑駁難辨。所幸保存單位復刻了相關碑文一併陳列於亭中，以利後人解讀。由這三座古碑可見當時漢人與平埔族巴則海族人之間發生灌溉取水的糾紛確實頻繁而引發諸多紛擾。

平埔族群[32] 原本是漢人入墾前馳騁在臺灣西部平原的南島獵人，清代被歸

忠義統轄九社岸裡大社主敤翁行樂圖。（國立臺灣博物館〈提供〉

潘敦仔之墓。（國立臺灣博物館／提供）

類為「熟番」、日治時代則稱之為「平埔族」。臺灣原住民文化研究學者、臺灣歷史博物館典藏組組長李子寧 (33) 以曾經活躍在中部的巴則海族滄桑史為例，認為巴則海族的興衰真可以說是「臺灣整個開發歷程歷史的縮影」。而曾拜謁乾隆皇的岸裡社潘家，更是平埔族中的一頁傳奇。

　　巴則海族共有十餘社，其中以岸裡及大社最具聲勢，因而又稱岸裡大社。巴則海族是清代最顯赫的平埔族群，尤以潘敦仔 (34) 的事蹟最為人津津樂道。鼎盛之

時，可以說是整個臺中盆地幾乎全由岸裡社潘家統領，當時漢人不過是他們的佃農。然而到了日治時代，潘家為了嫁女兒竟得變賣祖厝，其由盛轉衰的關鍵引發後世諸多議論。

有「文史資料的好鼻師」之稱的政大民族學博士、平埔族後裔簡史朗指出，潘家與岸裡社的興盛與清代的「以番制番」策略密切相關。康熙 38 年（1699 年），岸裡社助清廷擺平「吞霄社事件」而崛起。十餘年後，潘敦仔的祖父阿莫率領鄰近平埔族群歸化，被任命為岸裡社第一任總土官。全盛時期形同王國，歸化後的岸裡社，經常接受清廷徵召、征伐其他反亂的平埔族。雍正 9 年（1731 年）的大甲西社事件，戰火延燒至大肚社等十餘個平埔族部落，助清廷平定這場戰亂的潘敦仔地位就此扶搖直上。到了乾隆 35 年（1770 年），清廷又引潘敦仔打敗曾統轄過岸裡社的大肚社王族裔，潘敦仔拜謁乾隆皇帝，獲賜名並賞予水晶瓶、玉碗、朝珠、瑪瑙等珍貴御品。簡史朗說：「潘敦仔可說是『以番制番』的得利者！」清廷不僅賜姓「潘」，還賞賜他大片請墾土地，並任命他擔任通事。

李子寧分析，負有溝通原、漢重任的通事一職，原本都是由漢人擔任，潘敦仔是第一個破例擔任總通事的原住民。在其全盛時期，岸裡社潘家形同「巴則海王國」，若非「岸裡社文書」在日治時代重新出土，這一頁滄桑史差點就被湮沒在歷史的洪流中了。

關於巴則海族盛極而衰的原因，族人和學界存在著極為不同的看法。根據潘氏後裔潘大和著作《平埔巴宰族滄桑史》(35)，他認為巴宰（巴則海）族人口銳減，是因清廷「以夷制夷」策略，致使該族不斷與其他原住民族征戰相殺，又數次被派赴中國大陸參與平定太平天國之亂等戰役，以致男丁大減。

李子寧卻認為，爭戰損傷只是次要因素，最重要的關鍵是潘敦仔在漢人通事

張達京的建議下，採「割地換水」墾約。因戰功邁然獲取廣袤土地的潘敦仔，由於缺乏資金和開鑿灌溉圳路的技術，同意以「割地換水」的方式將部分土地轉讓給漢人。「割地換水」如今被潘氏後裔視為「奇恥大辱」，但「當初這是很好的算盤」。李子寧認為潘敦仔當初獲得的是亟待開發的蠻荒野地，以「割地換水」等方式獲得漢人移民的耕作勞力，坐收「番大租」，何樂而不為？

從民族性來看，巴則海族承襲南島語族的獵人本色，認為「耕田是女人做的事」，不在乎農耕、也不介意田產，與漢人佃農訂定的契約相當寬鬆，「只要耕種幾年後，土地就是你的」。簡史朗更說，有些漢人為取得土地，「騙、搶、殺」各種手段盡出，坐擁山林的巴則海族就這樣不知不覺、一點一滴地流失土地。

到了日治時代，巴則海族流失土地及經濟依憑的速度加劇如血崩。簡史朗說「番大租」讓原住民擁有土地，耕作者非本人，常常一地轉租好幾手，日本人為便於管理，由政府「買斷」土地，岸裡社土地就此流失殆盡。故對岸裡社而言是「割地換水」，但對漢人來說卻是「供水換地」。損益得失，歷史終成最後見證。

中央研究院助理研究員洪麗完 (36) 更指出，日治時代的原住民遭汙名化，平埔族 (37) 只得「隱身在漢族中，成為歷史族群」。而巴則海族與其他平埔族群們的衰敗，其實「雖有偶然，但已是歷史的必然」。

不同於其它無文字歷史、僅有口語傳說的原住民族群，巴則海族最大特色卻是他們保有大量文獻。簡史朗說清代巴則海族曾在中部建立猶如「王國」般的盛世，至今猶為後代傳誦。然而，這一頁光輝歷史差點湮沒在歷史的洪流中。直到昭和 10 年（1935 年），一場中部地區的大地震，「震」出了岸裡社末代通事潘永安舊宅珍藏的康熙、乾隆年間古文件，也就是在學界赫赫有名的「岸裡社文書」(38) 才重見天日。這些文書原本留存在岸裡社頭目潘家，以及岸裡社第一代通事張達

位於豐圳公園中的張達京與潘敦仔雕像，註記著「割地換水」的歷史。

京家族，目前以臺大圖書館、臺灣歷史博物館收藏數量最多，被視為是研究臺灣中部開發史、族群關係及土地制度等問題的珍貴第一手資料。由於其中含大量地契，李子寧認為這些文獻中確實已清晰浮顯「靠著文字契約的文明記述、不憑藉武力就能蠶食鯨吞土地的詳盡證據」。

關於「割地換水」策略的真相與歷史、族群的恩怨糾葛，固然需要更多的考證與論辯，但是這個歷史關鍵關係著大臺中盆地 (39)、尤其是豐原發展的今日盛況，它的歷史意義仍是不能抹滅的。

第三章

水清、米白、餅香、柴乾

習以為常卻特殊的豐原街景

偶爾帶「豐原囝仔」學員或社團導覽在地文化，總免不了在精華區中正路踅上一趟，最後我總會問參與的團隊成員們一個問題：「大家有沒有發現豐原的精華區中正路跟其它鄉、鎮、區有什麼不一樣？」不知道讀者朋友們對這個問題有怎樣的答案呢？

「我們的精華區中正路跟其它鄉、鎮、區有什麼不一樣？」1970、80年代，筆者讀了大學之後開始會帶外地同學回故鄉來玩，一直到現在，筆者每次招待外地朋友瀏覽豐原市區時都還常常遇到相同的狀況。外地同學、朋友初到豐原常常驚訝地問我：「你們豐原人是不是特別會生病？要不然怎麼熱鬧街上竟然醫院、診所比任何商業店面都多？」鄉親們不曉得是不是也有過這樣類似的經驗呢！沒有錯，當時從「豐原鎮」到「豐原市」，豐原曾經是車水馬龍的行政中心、繁榮富庶的商業中心，當時是全臺灣中小企業、銀行、賓士車、醫師診所密度最高的市鎮，甚至連房地產價值都比當時原臺中市區大部分地區都還貴呢！即使到了今天這個「豐原區」的年代，豐原街上的銀行、醫師診所密度還是很高，比全豐原所有便利商店總和都高。這個現象的背景因素當然不是因為豐原人特別會生病，而是豐原開發歷史早，加上後續發展的繁榮，為豐原造就了豐厚的經濟背景與人文風氣鼎盛而成就的現象。

從「葫蘆墩」到「豐原區」，豐原這一路開發史上，幾個關鍵的歷史時間點、幾個關鍵的歷史事件，帶給了豐原繁榮發展的契機、多元文化蘊涵的空間，造就了豐原人文薈萃的光榮記憶：

- 張達京、「六館業戶」、「陳五協」等鑿築葫蘆墩圳，豐原成為臺灣重

豐原是昔日臺中縣的行政中心,銀行、診所、店面林立,市況繁榮。

日治時期最原始的豐原郡役所，位於今中正路的臺灣企銀處。（取自《葫蘆墩老照片特輯》）

要米倉，葫蘆墩米也因而聞名，閩、粵移民大批湧至本地加入墾殖，奠定了今日大臺中繁榮的基礎。

• 三角仔庄呂炳南興建的文英書院及筱雲軒 (40)（知名古蹟筱雲山莊）促成臺灣中部（尤其是豐原）文風鼎盛，並孕育出一位進士：苗栗丘逢甲，四位舉人：霧峰林文欽 (41)（林獻堂之父）、清水蔡時超、鹿港施士浩及筱雲呂賡年，對豐原，乃至整個中臺灣文化風氣的提振影響極大。

• 日治時期，日本當局對八仙山林場及後來大雪山林場 (42) 的開伐，製材所遷到豐原目前的南陽路，並成立「八仙山林品管理處」。這是豐原由農業鄉街邁向工商城鎮的重要關鍵，甚至可以說是豐原工商產業起飛的重要源頭。

合併前的原臺中縣政府，合併後改為臺中市政府陽明大樓。

- 1950 年國民政府將原臺中縣所轄之 59 鄉鎮縮小為 21 鄉鎮，其餘分為彰
  化、南投兩縣。新臺中縣並將縣治從員林遷至豐原鎮。豐原正式成為臺
  中縣的行政中心，文教、政經、商業活動更為活躍、興盛。
- 中部橫貫公路興築，並於 1960 年正式開放通車，豐原成為中部橫貫公路
  的前哨大鎮，在北臺中兼具行政中心、工商重鎮及交通樞紐角色，觀光
  及服務產業更是大幅成長。

以上這幾個關鍵的歷史機緣下的關鍵歷史背景，在每個時代為豐原帶來政
治、產業、經濟、文化的躍進契機，也為豐原扎下豐厚的政經、人文基礎，創造
了繁榮近百年的傳統產業風華與人文薈萃傳奇。

慈濟宮不但是豐原的信仰中心，入夜後更化為熱鬧的廟東夜市。（葉子源／攝）

以各種香氣交織的傳產風華

光緒 12 年（1886 年），葫蘆墩街設置巡檢。明治 38 年（1905 年）葫蘆墩驛（今豐原車站）[43] 建置，豐原成為中部的往來交通要道。大正元年（1912 年）臺灣製麻株式會社在豐原設立，並在南嵩里與田心里一帶種植菸草與黃麻。大正 4 年（1915年）起，八仙山林場開始伐木，豐原成為木材貯放、轉運與加工的重要據點，使得豐原的經濟市況日益繁盛。豐原所產的葫蘆墩米更享有優良米質的盛譽，日治時代還送呈日本天皇御用呢！另外，豐原更有「糕餅之鄉」[44] 的美名。1970、80 年代，臺灣漆器外銷百分之九十產自豐原，讓豐原博得了「臺灣漆器產業故鄉」的雅號。這些木材、紡織等工廠，日後成為豐原地區各種小型機械工廠的前身。

豐原區過去的傳統產業有稻米、木材、木材加工、漆藝、製麻紡織、菸草、糕餅、製鞋，除糕餅業之外大多均已式微。現在的經濟產業則以機械產業、水果種植以及地區金融、百貨產業中心為主。至於市區的廟東夜市 [45] 以地方特色小吃為主，目前更是全臺知名的必賞夜市景點。現在就讓我們一起來回顧豐原過去這些產業風光吧！

● 糕餅 [46]

大家都曾吃過臺中名產鹹蛋糕嗎？在糕餅業發展繁榮的大臺中，其實鹹蛋糕是豐原的名產之一，然而，為什麼當初會出現鹹的蛋糕呢？這就要回到日治時期，臺灣縱貫鐵路南北接軌，在臺中舉行通車典禮的那個年代了。

在日治時代 [47]，由南北兩端同時交互施作的臺灣縱貫鐵路，於明治 41 年

現今臺中公園的湖心亭是當時林獻堂等仕紳為了迎接來臺主持鐵路通車典禮的載仁親王，特地獻地造園的臨時招待所。（路寒袖／攝）

（1908 年）10 月在臺中州正式接軌，當時日本明治天皇御弟閑院宮載仁親王親自來臺主持鐵路通車典禮，而臺中公園的湖心亭就是當時林獻堂 (48) 等仕紳為了迎接親王，特地獻地造園的臨時招待所，此即為日後的臺中公園，當日並設晚宴款待。（鄉親間有傳說是當時仍是太子的日本前天皇裕仁，來臺主持剪綵儀式，但考證當時歷史資料，來臺主持縱貫鐵路通車典禮的應該是載仁親王為是。）

當時負責接待親王的官員得知載仁親王因曾旅居法國，有吃蛋糕點心的習慣，因此臨時吩咐糕餅師傅呂水（豐原「雪花齋」餅行創辦人）製作蛋糕以供親王食用。但當時廚房裡沒有砂糖，在材料不足的情況下，老師傅靈機一動，將鴨蛋當內餡加麵粉炊成蛋糕，裡面還加了紅蔥筍子未炒拌的肉燥，清淡爽口的味道。

在沒有砂糖的情況下，呂水師傅靈機一動，以鴨蛋、肉燥製成鹹蛋糕，博得親王好評。（雪花齋／提供）

沒想到親王品嚐過後直呼「おいしい」（喔依係，真好吃的意思），大為讚賞，當下破天荒給予二十元賞金的特賞，相當於當時小學校長一個月的薪水。事後，呂水將這份糕點發揚光大，經過烹調技法的改良，與口味的調整，「鹹蛋糕」[49]正式問世，由「雪花齋」糕餅店傳承至今。而豐原其餘糕餅店家也都跟著做起各式各樣的鹹蛋糕，鹹蛋糕也就這麼成為豐原地區的名產之一了。鹹蛋糕的使用材料為臺灣在地相當常見的配料，使用紅蔥、醬油、肉末、筍子末調配而成，再用雞蛋麵粉包夾鹹餡料，以清蒸方式蒸炊而成。目前除了老雪花齋、雪花齋之外，位於中正路的義華餅行與位於南陽路的德發餅行也都是知名的鹹蛋糕老餅行，不但都有悠久專業歷史，產品也各有特色。

豐原與鄰近的神岡地區自清領時代到日治時期，發展歷史始終緊密關聯，甚至在日治時期同屬豐原郡，文史臍帶相連至今。尤其豐原與神岡地區自日治時代即以漢餅而聞名全臺，加上本地糕餅師傅們學習和式洋菓子與西式糕餅等技術，逐漸發展各種不同的糕餅，使得豐原（含日治時期的豐原郡領域）乃有「糕餅之鄉」(50) 的美稱。許多特殊的糕餅舉凡鹹蛋糕、鳳梨酥、綠豆椪、太陽餅、老婆餅等臺灣中部著名的糕點，大多可能源自本地。糕餅也是豐原諸多光榮傳統產業中少數至今仍然興盛繁榮不衰的。

談到豐原糕餅，就不能不介紹「老雪花齋」。每至中秋前夕，位於臺中市豐原區的老雪花齋糕餅老店，總是大排長龍，單是一個中秋節就可賣掉三十萬顆雪花餅。創業於清光緒 26 年（1900 年）的「老雪花齋餅行」在臺灣糕餅史上擁有多項傲人紀錄，包括綠豆椪的創始店，更曾在日治時期奪得糕餅大獎。而雪花齋也是臺灣首家「漢點專賣店」，豐原成為餅鄉，雪花齋可說是居功厥偉。

「老雪花齋」餅行當年由「綠豆椪之父」呂水先生在地方仕紳陳德全等人的協助下，於豐原區所創，原店名為「雪花齋」，店址就在葫蘆墩圳東汴幹線旁。

歷史悠久的雪花齋，除了招牌的雪花餅、鹹蛋糕外，也出產多樣美味的糕餅，滿足顧客的味蕾。

雪花餅為雪花齋的招牌產品，綠豆餡外加香酥肉燥，造就經典的甜鹹口感。（雪花齋／提供）

1959 年家族世代傳承，他的長子與次子沿用「雪花齋」的店名自立門戶，呂水先生則將自己仍繼續經營的「雪花齋」加註一「老」字，成為「老雪花齋」，以便顧客區隔，之後歷經兩代的傳承至今。

「雪花齋」的店名由來也頗富詩意，乃源於「花香天下中秋桂，雪映莊前臘月梅」這句對聯，是由當時豐原地方仕紳文人於呂水先生創業之初所相贈。原欲以桂、梅之精神意涵比喻呂水先生之為人及情操，而想取店名為「桂梅齋」，但是豐原平地氣候並未下雪，也無桂、梅，眾人在嗟嘆意境美中不足之際，由石岡書道名家劉曉邨先生 (51) 靈機一現，大筆一揮，「雪花齋」的店名就這樣誕生了，成為地方的一段佳話。

雪花齋在豐原街區立足百年，老店面也算看盡這座城鎮的風華歲月。（雪花齋／提供）

　　日治時代的大正 14 年（1925 年），於臺中舉辦的「臺灣區糕餅展」中呂水
先生以其拿手絕活雪花餅、冰沙餅參展送審，經評審結果，兩項均榮獲銅牌大獎！
當時在日本人統治下的臺灣，漢式月餅被稱為「漢餅」，參展送審大權掌握在日
本人手中，臺灣人能製作漢式月餅參展已經是非常不容易了，金、銀獎牌更是非
日商莫屬，能得到銅牌獎已是破天荒的大喜事了！從此雪花齋、雪花餅聲名大噪。

　　1973 年 3 月，政府舉辦第一屆糕餅麵食展覽會。此時的雪花齋已由第二代的
呂松吉先生執掌，為表現薪火相傳的手藝，乃親手製作並烘烤雪花餅，並以雪花
月餅的名稱送審參展。經評審為第一名，而且在所頒發的獎狀上，主辦單位還特
別在送審名稱上方加註「地方名產」的字樣，是為一大殊榮。

另外，橫跨清領、日治時代，影響豐原發展至鉅的神岡「大夫第」主人林振芳，其所創建的「大夫第」（鄰近葫蘆墩圳「百廿張汴支線」）不僅留下了歷史地位（現為臺中市市定古蹟），平日的佳餚糕點也連帶影響了中部地區漢式糕餅的發展。由於林振芳喜歡吃甜點，平日仕紳往來，宴請親友均聘有專人料理，因而對糕點餅藝的品質要求十分嚴格與講究，於是成為林家應酬交際的贈品，又經由仕紳間的傳頌，使得大夫第的糕餅聞名於鄉里，尤其是招待日本人的招牌糕點——麥芽餅，更是日後大臺中地區糕餅的代表——太陽餅的前身。

光緒 17 年（1891 年）林家子孫以「林三崑」（「林三崑」家譜並不是因為有哪位祖先叫三崑，而是林家十五世祖有崑偉公、崑賽公、崑山公三位昆仲，故稱「三崑」）家族中的「崑」字為商號，在社口創設「崑派商店」，販售雜貨也從事糕點製售。光緒 20 年（1894 年）林家的總鋪師張林犁，在林振芳支持下也自立門戶創設「犁記餅鋪」，以製作麥

犁記餅店剛出爐的新鮮月餅，一到佳節總是搶購一空。

寶才餅店的傳統喜餅豐厚紮實，參與了許多
豐原人的喜慶記憶。

芽餅、蒜蓉餅等漢餅聞名於中部地區。崑
派餅行、犁記餅行目前仍是中秋時節的熱
門餅鋪，盛名不衰。1953 年，社口林三崑家
族後代林紹嵩也創建了自由路「太陽堂餅店」，
並且將麥芽餅化身為太陽餅，帶動臺中糕餅業的高潮，
讓臺中市太陽餅蔚為風潮。原來神岡社口的林家大夫第正是
大臺中地區太陽餅的起源地。

　　豐原糕餅雖以漢餅起家，但是本地糕餅商鋪們更學習和式洋菓子與西式糕餅
等技術，逐漸發展各種不同風味的糕餅。例如「宝泉食品」，源自日本昭和 18
年（1943 年）早春，宝泉創始人陳金泉先生選定日本東京開創了第一家「宝泉製
菓本鋪」，1975 年，宝泉在故鄉豐原成立臺灣宝泉本店，創新而道地的日式烘
焙法及精緻的包裝，讓國人耳目一新，立即聲名大噪，多年來的成功經營，至今
傳承至第四代。1976 年，宝泉第三代的陳增雄先生有感於當時的傳統月餅太大，
消費者無法一次食用完畢，遂以日式烘焙技術，研發大小適中，以白鳳豆及日本
原料為餡，研發出入口即化的「宝泉小月餅」(52)。不但賦予月餅新的生命，也讓
宝泉小月餅之名大盛，成為糕餅業界的翹楚。

　　又如創店於 1981 年的寶才食品，則開創了
豐原在蛋糕與麵包製作上的新視野。當年在
呂永紳老闆與妻子的共同努力下，讓「寶
才」這個名號在糕餅之鄉豐原這塊土

隨著飲食習慣改變，各家糕餅店也紛紛
推出健康養生的糕餅，讓大家吃得安心。

地上生根茁壯！呂永紳老闆承襲自母親的手藝、為感念母親的精神，呂老闆將店名取作「寶才」，意喻傳承母親的「寶貴才華」。芋泥捲、養生豆漿蛋糕正是寶才食品順應時代潮流，再到歐、美、日取經西式美食，佐以最高級的原料，製作、開創出來獨特口味的代表作。

● 木材、加工暨木器機械產業

日治時期，日本政府為了砍伐八仙山一帶的檜木，於是在豐原修築小火車入山，最主要是要搬運砍伐後的木材下山。日人為了便利將良好的檜木材運回日本，最先在豐原東側的土牛設置製材所，並利用五分輕便火車運送至豐原火車站予民間製材所，供營建與家具製造材料；後來擴大砍伐，製材所才遷到豐原目前的南陽路，並成立「八仙山林品管理處」。

由於日治時期大量開發林業，豐原乃成為臺灣三大木材集散地之一，並設有營林所。加上豐原

日治時期日人開發八仙山林業，並以五分車載運木材至豐原轉運，因此豐原常見木料儲存場。（取自《葫蘆墩老照片特輯》）

日治時期用以載運木材的五分車。（取自《葫蘆墩老照片特輯》）

地處南北交通要衝，境內運輸便利，而附近水、電充裕，所以乃帶動豐原工廠林立，大小型木器製造業、木器機械廠興起，產品運銷國內、外，享有盛名。這些工廠，日後成為豐原地區各種小型機械工廠的前身。所以八仙山林場的開伐 (53)，確實是豐原由農業鄉街邁向工商城鎮的重要關鍵，甚至可以說是豐原工商產業起飛的起源。而目前東勢林區管理處所留下之舊宿舍 (54) 正是這段豐原工商產業起飛歷史的最佳見證，已於 2015 年 4 月 23 日由臺中市文化資產處分別登錄為古蹟及歷史建築，其中南陽路逸仙莊 69 號、70 號被列為宅第類市定古蹟。

　　日治時期日本開始針對臺灣豐富的林木進行調查，發現八仙山林區資源豐富，值得以官方力量進行開發。最初八仙山林區屬阿里山作業所管轄；大正 3 年

仍保留日式建築特色的大甲林區管理處古蹟。

（1914年）臺灣總督府殖產局派遣阿里山作業所技師綱島正吉前往八仙山做基本
調查，調查後曾對八仙山與阿里山的林業資源做一個比較。認為八仙山林木雖較
阿里山少，但其木質卻勝於阿里山，加上緊鄰大安溪與大甲溪，運輸的便利性相
當高，如果官方經營八仙山，其利益應大於阿里山。正因八仙山值得開發，大正
4年（1915年）八仙山事業區脫離阿里山作業所，轉而直屬營林局。並設置出張
所於土牛。昭和元年（1926年），出張所移駐豐原街，同時改稱為「臺中出張所」。
初期八仙山林木開伐先是採用舊式作業，以木馬運搬及利用大甲溪水流運材（據
說這是其所以稱為大甲林區管理處之緣由），嗣後改用鐵路運輸，並設置貯木場
於豐原（即今南陽路至陽明街為大甲林區管理處址，1989年大甲林區管理處與大

東勢林區管理處的新大樓位址，昔日曾為貯木場。（葉子源／攝）

雪山示範林區管理處合併為東勢林區管理處）。

　　昭和12年（1937年）中日戰爭爆發，日本政府對於木材的需求大量增加，營林所所轄的臺灣三大林場，更負起很大的責任。八仙山在此壓力下，原本規劃的伐木方式必須進行改變以提供大量的木材，昭和13年（1938年）後伐木量大幅增加，昭和17年（1942年）八仙山的伐木事業更改由臺灣拓殖株式會社接管（後稱臺拓）。臺拓公司為取得大量木材，日以繼夜地砍伐林木，使得八仙山的林木產出於昭和18年（1943年）達到高峰，產出材積達43,000立方公尺。但也因為當時這樣的過度砍伐，造成林場資源枯竭，八仙山林業乃由盛轉衰。

　　交通的完備是當時最重要的建設之一，為運送木材所興建的軌道與便道，帶

臺灣八景候補地決定

臺灣八景の候補地二十景を投票により公選しやうとした本社の計畫は勿論、内地、朝鮮方面は杯より遙かに協贊あり去る十日の〆切日迄に投票された總票數は實に三億六千萬票に達し殆ど空前とも言つてよい投票記録を得た、爾來本社では之が整理に當つてゐたが二十八日午前整理全く完了し八景候補地たる臺灣の二十勝景は茲に最後の確定を見るに至つた、即ち其結果は次の如くである

（以下二十勝景の票數に附記せる○印は…）

一位	鵞鑾鼻燈臺	（高雄）	三五、一〇五、一八〇
二位	壽山	（高雄）	三四、九七八、三八七
三位	阿里山	（臺南）	三四、六九六、六五八
四位	八仙山	（臺中）	二五、八七五、二八三
五位	基隆港	（臺北）	二三、二三〇、九六七
六位	太平山	（臺北）	一九、八八九、九九七
七位	五指山	（新竹）	一三、一七三、一一
八位	臺灣神社	（臺北）	一一、七九八、八六九
九位	淡水港	（臺北）	一〇、五一七、四五八
十位	太魯閣峽	（花蓮港）	九、〇二三、五七七
十一位	日月潭	（臺中）	八、三七四、四〇八
十二位	觀音山	（臺北）	八、一四五、五六三
十三位	大溪	（新竹）	七、七六二、六一〇
十四位	獅頭山	（新竹）	七、一六二、九一一
十五位	出磺坑	（新竹）	六、九四三、二一八
十六位	虎頭埤	（臺南）	六、六九三、二二四
十七位	新店碧潭	（臺北）	六、六四九、三一八
十八位	旗山	（高雄）	六、〇九四、九三七
十九位	鶏籠山	（臺北）	六、二八六、九〇五
二十位	霧社	（臺中）	六、一七四、五二四

《臺灣日日新報》舉辦臺灣八景票選，八仙山名列第四名，票數更與第三名壽山相當接近。

來的效益超乎預期，不僅使運材成本大量降低，還兼具發展地方的效果。昭和初年（1926 年），豐原至佳保臺（今八仙山森林遊樂區）來回只要一天，深入林業地帶已不再是很困難的事，因此帶動了觀光與地方的發展。在觀光發展方面，昭和 2 年（1927 年）《臺灣日日新報》所辦的臺灣八景票選，八仙山擊敗許多著名景點拿下第四名，成為日治時期臺灣八景之一。八仙山獲選為八景進而帶動整體觀光，現今八仙山森林遊樂區內還立有一紀念碑，為過去的這段光榮歷史留下見證。而豐原當年也因此成為觀光及林木集散之進出重要轉運中心，工、商業及觀光產業大興，市區內旅社、飯店、酒家林立，全盛時期，甚至同時有八家電影院營業，觀光產業密集度與原臺中市區相比毫不遜色，當時豐原的繁榮程度可見一斑。

黃麻在日治時代是中部重要的經濟作物，日人設置製麻會社管理。（國立臺灣圖書館／提供）

● 製麻紡織

　　黃麻在日治時代曾經是中部地區很重要的經濟作物，因為黃麻的纖維可被用來做麻袋與麻繩。日治時代中期，臺灣的稻米與糖處於外銷高峰期，需要很多麻布袋，所以在日治初期明治 38 年（1905 年）6 月時在臺中廳籌設「臺灣製麻會社」，9 月在豐原成立黃麻紡織工場，經二年期的建廠與裝設機械，正式在豐原街 14 番地成立，以栽培麻纖維並以麻布、麻袋、麻絲製造販售為主，當時於本島南、北及東京、大阪均設置代理店，為當時豐原極為重要的製造業之一。

　　大正元年（1912 年）「臺灣製麻會社」解散改組為「臺灣製麻株式會社」，

攝於大正 4 年（1912 年）的葫蘆墩製麻會社。（國立臺灣圖書館／提供）

社址設在豐原 29 番地，位置就在今豐原火車站西側東北街以迄隆豐社區一帶，緊鄰葫蘆墩圳東汴幹線，當時地方人們都稱之為「布袋會社」。原本以豐原種植最多，後來漸漸的潭子、石岡、臺中南屯附近也都有種植，顯然跟當時臺灣總督府的政策鼓勵有關。戰後改組為臺灣工礦公司的豐原紡織廠，約在 1950、60 年代麻布袋需求與黃麻種植還很興盛，真正使黃麻產業消失的是塑化原料的興起。如今「布袋會社」工廠早已不復存在，生產基地也都改建為住宅了。

　　附帶一提，麻薏是用黃麻尾端的嫩芽做的，又稱「麻芛」、「麻穎」，盛產於夏季，臺灣中部地區常用來煮湯。黃麻是臺中地區的特產之一，在彰化以南、豐原以北少有栽種。原本以豐原種植最多，臺中市南屯區土地肥、水質美，又有

麻薏嫩葉經過烹煮後，也能成為令人難忘的小吃。

大肚山臺地阻擋著冬季的東北季風，也很適合種黃麻。黃麻又稱「苦麻」(55)，黃麻的種類有種子成圓形的圓果種及長形的長果種。每年 3 月播種，9 月收成，人們採下黃麻的嫩葉，經揀、搓、揉、洗四步驟去除苦味，煮出特有的消暑麻薏湯，綠色葉片煮得黏黏稠稠而略有苦味，有時加入小魚干以消暑解熱，豐原人則常加點地瓜以增加口感。這可是中部（尤其是南屯、豐原）才有的食材，外地都沒賣這樣的小吃。在麻布袋產業發展起來後，臺南也有家臺南製麻株式會社，所以臺灣當時契作黃麻的地區就是臺中與臺南。但是臺南似乎並不流行這樣的傳統小吃，原因在於 1957 年臺中農產改良試驗所的「臺中特一號」黃麻品種研發，又稱為「甜麻」，適合作為食用蔬菜。因此麻薏的食用開始在臺中普遍推廣起來。

麻薏 (56)，這麼獨特的地方小吃，是豐原過去盛極一時的製麻紡織產業的見證，是遠遊外地的中部人、特別是豐原人的鄉愁，更是製麻紡織業這個過去盛極一時的豐原產業所傳留給葫蘆墩人的小確幸。

● 漆藝

在 1970、80 年代臺灣漆器外銷產量，一年約有新臺幣七、八億元，其中百分之九十產自豐原，所以豐原有「臺灣漆器產業故鄉」(57) 的雅號。但自從 1989 年禁止伐木政策之後，木材須進口及工資高漲，產業成本提高，國際競爭力下降，

豐原素有「臺灣漆器產業故鄉」的雅號,豐原漆藝館除了展示精美的漆藝技藝,也努力推廣並振興豐原地區的漆器產業。

造成產業外移和沒落。目前豐原地區文化產業界人士正積極推動生產漆器的公共品牌,中文的公共品牌名稱為「葫蘆墩漆藝」,以振興豐原地區的漆器產業。

　　漆工藝的發展最早始於大正5年(1916年),日人在新富町二丁目一番地(現今民族路接近三民路處),設立「山中工藝所」,製造美術工藝品,也開啟了臺灣漆器技藝傳習之路。漆器工法繁雜,其多先有「胎體」,古籍記載舉凡竹、木、銅、鐵等皆可為胎。豐原區因鄰近八仙山林場,木器製造興盛一時,因而成為漆器木胎供應之地。臺灣光復後,豐原地區的製材業急速發展,為豐原木工業發展

的有利條件。

　　1997 年，當時的臺中縣文化局以「文化明珠：臺中縣社區文化產業輔導計畫」委託仁社社長林宣宏進行「豐原漆器產業的文史調查與推廣計畫」。經調查才完整得知，1965 年美國籍猶太人利用美援嘉義高工設備培訓所需的幹部，再全班北上遷來豐原水源路，設立「米爾帕赫羅木工藝股份有限公司 Milbern Heller Woodcraft Co., Ltd.」，在地人稱為「美國仔會社」，從事木製沙拉碗的生產，外銷歐美，為當時豐原地區最具規模的木器製造廠。美國仔會社大量錄用本地人為工人，從事各種大小木塊的車床製作，員工最多時達千人之多，分三班生產木製品及漆器，全部外銷。十年期間，豐原鄉親約三、四千人投入製作漆器的行列。而這些師傅也提供了日後豐原地區漆器產業所需木胎白身的來

源，也是豐原木器業發展的骨幹。此外該工廠由日本引進日本會津式車床機的使用及維修方法，因生產快速精準，對日後應付日本人量的漆器訂單發揮了效果。有些師傅在該工廠中學習到相當的車工技術及經驗後，即離職自行創業發展。

　　美國仔會社營業十年結束後，曾在該公司工作、技術成熟及善於經商的前輩，紛紛成立漆藝社、工廠及公司創業，1974 年至 1984 年間，豐原有四十多家廠商生產漆器相關製品外銷，約占臺灣外銷漆器一年七、八億元產值的九成，隨後因木材禁伐而漸漸沒落和外移。美國仔會社在豐原區養成大批製造木胎白身及漆器業人才，對臺灣漆器產業發展上有相當大的貢獻。豐原也因此而有了「漆器故鄉」(58) 的稱號。

　　目前豐原區公所在中正公園園區仍設有「豐原漆藝館」(59)，透過相關示範、展覽、研習、推廣等活動，讓漆藝的璀璨蘊藉之美，重新介紹給民眾認識之外，更期待將漆藝融入運用到日常生活中，使現代的漆藝更具深度與廣度。社團法人臺中市仁社剛成立的那幾年，皆是以葫蘆作為意象商品，在一次的因緣際會下，與漆藝結合。近年來於臺中市豐原區東洲路 6 巷 6 號開辦「漆藝工坊」，並建立「漆繪仕 CHERIS」文化品牌，與「豐原漆藝館」成為豐原目前推廣漆藝文化、產業的兩大重鎮。

● 米食文化

　　包括臺灣在內的華語社會傳統文化裡，米食與我們的生活息息相關。傳統庶民生活文化，我們從小到大的整個人生歷程幾乎總是和米食無法分割。

因為葫蘆墩圳引入大甲溪活水的灌溉，讓葫蘆墩米自古以來就是豐原重要的農業物產。

比如按照習俗，小孩滿三個月時會報酒，就是準備油飯跟一些酒，然後到外公外婆家報喜。還要吃收涎餅，收涎餅也是用米食做成的。週歲的時候，我們要準備米香。小孩長大要訂婚了，訂婚也要吃米香，應驗「吃米香，嫁好丈夫」這句俗諺。結婚的時候，則是要準備轎斗圓，這個也是用米食做的，用一斗二升的米磨成米漿，再搓成圓圓的十二顆，男女方各收六顆，然後煮一煮，最後由男生來餵女生吃。到了五、六十歲的時候，華語社會傳統文化通常會做一個大壽，在五十大壽時我們會做壽桃，這個壽桃也是用米食做的。華語社會以米食為主，米食就成了我們生活中一個重要的庶民文化環節。

　　葫蘆墩米自來就是豐原的重要農業物產，也因為如此，豐原人也發展出自成一格的米食文化。

甜粿、菜包粿、草仔粿

豐原「第一市場」的草仔粿。

　　臺灣民間每逢酬神、祭祀、喜慶、喪葬時，總要準備一些甜或鹹的粿類作為供品。粿的種類繁多，適用的場合也各不相同。在地俚語說：「包仔粿包金」，指的是有包餡的粿象徵財富。如「菜包粿」是以糯米為材料，再內包白蘿蔔絲、豆腐乾等餡料，放在柚葉上蒸熟，是年節祭祖不可或缺

以筍絲製成的筍仔包。

的鹹粿。

「早仔粿」為臺灣半埔族漢化過後的食物，中元普度和掃墓祭拜之米製食品，因摻入可食用草類如艾草而得名。外形扁平約巴掌大小，內以蘿蔔切絲剁碎為包餡，味道鹹，綠色外表，以香蕉葉、月桃葉等為墊。

「桃形粿」就是俗稱的紅桃，外形與桃子相似，象徵吉祥喜慶，臺灣老習俗會在小兒做四月日與度晬時都會準備紅桃分贈親友。「壽桃」通常以甜豆沙為餡，具多福多壽的吉祥意，所以是神佛聖辰必備的供品。

豐原傳統市場「第一市場」中有一家「日日鮮」粿店，就專門依季節時令供應各種甜粿、菜包粿、草仔粿而知名。

紅龜粿

紅龜粿是傳統米食之一，常用於節慶或拜拜、做壽場面，取龜壽綿延、壽比南山、喜氣洋洋之意。「糯米萃」與紅豆餡，是傳統常用的材料；包好餡，用「粿模」一印，就是紅龜粿的雛形。使用香蕉葉為墊底，做出來的紅龜粿具有自然蕉葉香味。

粽子不只是佳節的記憶，更是豐原的日常小食。

粽子、油飯

　　吃粽子的最佳時節，就是端午節。但現在人大多以外買為主，會包粽子的人，可能已不多了！但是很多中年外食客反而會在平常外食時就吃粽子，於是粽子在豐原是不分季節時令都可以吃得到的小吃。不管是傳統市場「第一市場」或知名廟東夜市，都有得買。油飯則是臺灣人在孩子滿月時分享親友用的，但是現在有很多宴客外燴也都常上這道，所以亦屬常見。

爆米香 (60)

　　在西式麵包、糕點未普及之前，爆米香往往令小孩子垂涎三尺。走動式的爆米香代工業者，在村落間流動，所到之處，總是引起許多小朋友圍觀。許多家長為讓孩子解饞，往往自備白米、沙拉油、砂糖，裝在奶粉罐或大碗公內，在爆米香的地攤前排隊，付了少許的代工費，即可取回一大包的爆米香回家慢慢享用。每當爆米炒熟，「碰」的一聲巨響之後，隨著冒出一片白煙，兼雜米香味，許多頑皮的小孩，往往急著衝到白霧裡，享受騰雲駕霧的快感。如今走動式的爆米香代工業者大概也少見了！市街上偶有擺攤販賣的，也大多是製成品，過去傳統「爆米香」的「街頭表演」已難得一見。

湯圓

冬至一到,一年眼看就要結束了。吃過湯圓,表示又多了一歲。早年冬至的前夕,家家戶戶的婦女,都會事先磨好了米漿,用椅條與扁擔,將米漿倒在麵粉袋中擠掉水分,萃取「圓仔萃」,以便全家圍在大桌上「斡仔」四周,享受闔家搓湯圓的樂趣。搓湯圓 (61) 不但象徵全家團圓,更是歲末感恩話家常的歡聚時刻。可惜,現在大部分的父母嫌耗時,乾脆買菜市場上用機器搓出來的湯圓,在家中煮冬至圓分享,有些家庭甚至連吃冬至圓都免了。好在豐原中興路有幾家知名湯圓攤,常年不中斷地提供居民好吃的湯圓。

滿滿餡料的碗粿,讓豐原碗粿遠近馳名。

碗粿

碗粿的製作,從選米、淘米、研磨、下料、炊烹,一點都不能大意,是很重手工的傳統米食。目前市場中還有少數攤子在賣碗粿,但從食用碗粿的人潮及人客滿意的臉色,肯定了豐原碗粿毫不虛假的名聲。

肉圓、三角圓

肉圓、三角圓是中部人都很熟悉的傳統小吃,不管是彰化肉圓,或者是豐

館料飽滿的芋仔粿，也是豐原人最愛的點心。

原肉圓，都是全國知名的傳統小吃。而肉圓、三角圓的外皮材料就是在來米粉，但也有混搭番薯粉、太白粉，或純粹用番薯粉、太白粉製作的，當然也是豐原重要的傳統米食特色了。市區內知名的肉圓店包括廟東的豐原肉圓、正老牌肉圓、清蒸蝦仁肉圓、一口悶三角圓、三民路的豐榮肉圓、府前街的新金樹肉圓，家家都各有特色，媒體也都常有報導。豐原傳統市場「第一市場」的「日日鮮」粿店也有販賣肉圓、三角圓的料品，買客回家只要自己下鍋就可熟食。

其它如蘿蔔糕、芋仔粿等也都是以米摻搭其它材料製成的小吃，比較普遍常見，當然在地人也都還保有食用的習慣。

● 菸草

早期中部地區的氣候適宜，土壤肥沃，相當適合種植菸草，從種植面積多達四千餘公頃即可得知。菸草是地方上的主要經濟作物，農民利用二期稻作的休耕期種植菸草，再於「菸仔間」利用燒木柴的方式慢慢燻製，由於是等到菸葉充分成熟、略待枯黃之後才採收，因此能夠保留菸葉的原味，品質也冠於全省。

土地肥沃、氣候適宜，豐原也曾是種植菸草的重要產地，全盛時期鐮村里最多擁有 103 棟燻製菸草的菸樓。如今菸業沒落，但臺灣菸酒股份有限公司豐原菸廠仍在營運中。

　　鐮村里的文化資產不只有土地公廟，日治時期村內還曾引進菸草和甘蔗種植，全盛時期村內最多擁有 103 棟的菸樓，但後來菸業沒落，盛況已成遺跡。目前豐原仍設有臺灣菸酒股份有限公司豐原菸廠營運中。

第四章

葫蘆墩出美女

前人常說葫蘆墩有三寶:「水清、米白、查某水」,後來更進一步說豐原有五寶:「水清、米白、餅香、柴乾、查某水」。這些說法,其實都在印證豐原自來地靈人傑的榮華。

尤其「查某水」這一項,大家可不要單純把它解釋成女孩子漂亮,其實可以更廣義衍申為豐原歷來的人文風采多元多姿。不管讀覽家國正史、地方鄉史、稗官野史,人物的傳奇始終是文史最吸引人的部分。從葫蘆墩到豐原,這塊鄉土充滿了許多讓人意外的人文典故驚喜。

❀ 雲護名山萬卷書——呂炳南家族

從清領時代漢人入墾大豐原地區,歷經日本治臺以迄國民政府接收臺灣,張達京、呂炳南、林振芳三大家族對豐原的政經、文化、產業暨社會發展貢獻良多,影響極其深遠。三大家族雖然都發跡在神岡,但從清領時期到日治時代,神岡、豐原的發展始終關聯密切,三大家族也多以豐原為生活場域,所以《豐原市志·人物誌》也均收列三大家族事蹟。張達京家族事蹟於前章已經談過,接著要談呂炳南、林振芳這兩大家族的葫蘆墩傳奇。

呂炳南,字耀初,諱潮朗,清道光9年(1829年)出生於臺中豐原三角仔庄(如今屬臺中市神岡區),卒於同治9年(1870年)。原籍福建詔安,客家人。咸豐5年(1855年)與在地士紳共創文英社,後又在岸裡社側創建文英書院。後來光緒3年(1877年)由名儒吳子光(鐵梅老人)設館文昌祠並受聘於該書院為西席,文英書院成為當時中臺灣重要文化基地;也造就呂家的四位公子汝玉、汝修、汝誠、汝濤在詩、書、畫方面各有成就。

同治 5 年（1866 年），呂炳南為奉養慈闈張太夫人，營築筱雲山莊，又稱為「呂氏別業」。這座二進多護龍式別莊，樓臺花木，枝影扶疏，景觀壯麗。更可貴的是他經商往返上海、天津，返鄉必蒐羅書刊字畫，銳意在山莊經營其「臺灣第一」私人圖書館。據說當時筱雲軒所典藏書籍達數萬卷，經、史、子、集等多達二萬多卷。筱雲山莊建成後，廣東鴻儒吳子光客寓呂家，呂家聘為西席。吳子光為其題聯稱為：「筱環老屋三分水，雲護名山萬卷書」，推薦呂氏是真讀書人、真藏書家，呂氏也因而被廣稱為中部第一藏書家。

　　呂家興建的文英書院及筱雲軒，有促成臺灣中部文風鼎盛之重大貢獻，並孕育出一位進士：苗栗丘逢甲，四位舉人：霧峰林文欽（林獻堂之父）、清水蔡時超、鹿港施士浩及筱雲呂賡年（呂汝修），可見當時中臺灣重要名家的學業功名多出自呂家文英書院及筱雲軒。其後包括連雅堂等名儒皆來過筱雲軒，可惜近代藏書逐漸散佚。

位於神岡的呂炳南家族舊居「頂瓦厝」。

位於后里的毘盧禪寺也與呂氏家族有所關聯，其東西融合的建築風格十分特殊。

呂氏以書香傳家，後人在文化藝術方面皆有所成，呂厚菴（呂敦禮）以詩名，與櫟社唱和密切，呂孟津為著名東洋畫家。最為後人熟知的是以音樂聞名的呂泉生，其名作〈搖籃曲〉（也有人稱為〈搖嬰仔歌〉）[62] 之搖籃所在地即為筱雲山莊。知名作品包括〈丟丟銅〉[63]（宜蘭民謠編曲）、〈杯底不可飼金魚〉等，被尊為「臺灣合唱之父」[64]。行筆至此，筆者突然想起小時候常聽著母親唱著「嬰仔嬰嬰睏，一暝大一寸，嬰仔嬰嬰惜，一暝大一尺……」哄我入睡；童蒙時也常跟著大哥哥、姊姊們唱著「火車行到伊都，阿末伊都丟，唉唷磅空內。磅空的水伊都，丟丟銅仔伊都，阿末伊都，丟仔伊都滴落來……」；年紀稍長後則常常跟夥伴們高歌「飲啦！杯底不可飼金魚，好漢剖腹來相見……」。當時還以為這些曲子都是古早時代流傳下來、不知作者是誰的民謠，原來都是呂泉生的心血創作。

　　后里知名的毘盧禪寺坐落於八仙山支脈太平山半山麓中。是中臺灣非常知名的名勝，可是很多遊客大概不知道原來毘盧禪寺緣起於臺中市神岡區望族筱雲山莊的呂氏家族。

　　毘盧禪寺創建人妙塵上人生於光緒 12 年（1886 年），為前清秀才呂厚菴先生之長女，母親為霧峰名門的林家淑媛，夫人生女四人之後，呂厚菴先生及其父竟先後去世，林氏於是頓悟了人生之道，帶領四個女兒及兩個姪女至苗栗大湖法雲寺皈依三寶，拜覺力和尚為師，母親林氏法名覺滿，四個女兒法名分別為妙塵、妙觀、妙識、妙湛，而兩個姪女法名為妙本及妙偏。皈依後，母女虔誠修道，於是有了創建道場的心願；正當眾人覓得后里鄉太平山半山麓創建道場時，母親覺滿上人卻因腦疾圓寂，姊妹們秉承遺志，盡傾私囊，並邀鄉親共襄盛舉，於昭和 13 年（1938 年）年底破土興建，兩年後落成。

　　呂炳南家族所留下來的歷史遺跡還保留頗為完整，包括：

神岡的筱雲山莊除了有中國傳統建築，也保留了和洋折衷建築的樣式。

● 呂汝玉墓園

位於豐原區的墓葬類市定古蹟，為呂炳南長子呂汝玉（清朝貢生）與其三子呂佩芷所葬的日治時期墓園，地址在臺中市豐原區社皮里三角路 221 巷內。

● 神岡呂家頂瓦厝 ₍₆₅₎

位於神岡區的宅第類市定古蹟，為呂氏渡臺在三角仔庄所建的第二座宅第，也是筱雲山莊落成前呂氏居所，是目前已知且尚存的第一代客屬移民建築中較早的案例，地址在臺中市神岡區三角里中興路 30 巷 32 號，因古蹟屬私人民宅，顧及現住戶隱私權，如欲參觀請事前向臺中市文化資產處預約。

● 神岡筱雲山莊

也是位於神岡區的宅第類市定古蹟，筱雲山莊建築除了清領時期建築本體之外，周邊亦有日治時期建築，且亦保留初建時期風貌，因此指定南庭洋風日式建築、北庭建築均增列入古蹟本體，地址在神岡區三角里大豐路116號及122號、35號，因古蹟目前仍有住戶，所以也只受理預約參觀。

筱雲山莊清幽的內院。

🦅 平地而起的家長伯——林振芳家族

社口林家大夫第雖不位於豐原葫蘆墩，卻與豐原的關係深厚，除了是豐原糕餅之鄉的發源地，也是豐原地區信仰中心「慈濟宮」第一次重修的要角，「慈濟宮」(66) 還在牆壁上刻寫著林家大夫第的主人林振芳的事蹟。林家大夫第是林振芳於光緒元年（1875年），購買了吳張舊宅第進行修建，歷時三年，宅名為客家話「泰孚第」，而「泰孚第」即為「大夫第」之諧音。與神岡「筱雲山莊」、潭子「摘星山莊」(67) 齊名，並列北臺中區三大宅院，而林家大夫第則以木雕最為有名。1985年公告為宅第類古蹟。

上圖：林振芳。（游惠玲／提供）

下圖：林振芳特敘勳六等配授瑞寶章。
　　　（游惠玲／提供）

右圖：林振芳生前政經關係良好，臺中州
　　　知事常吉德壽曾於大正 13 年造訪
　　　林振芳墓園。（游惠玲／提供）

林振芳，幼名火生，字煦齋，號蘭圃，臺中廳揀東上堡社口庄人。祖籍廣東省惠州府，客家人。生於清道光 12 年（1832 年），卒於明治 38 年（1905 年），享年 74 歲，一生歷經道光、咸豐、同治及光緒四朝與日治時期。是清領、日治跨世代的代表人物。

　　林家來臺初期原居於諸羅縣（現在的彰化），歷經遷徙，遷居神岡社口之後，漸與河洛族群同化了。林振芳五歲時遭逢喪父，爾後母親改嫁，與祖母蕭氏相依為命，由祖母與伯、叔父養育成人。九歲入鄉塾唸書，卻因家境貧寒不得不輟學，協助伯父崑偉與叔父崑山操務農事。但他天資聰慧，得知社口地區望寮街一帶，逐漸形成一個大市集，在徵得伯父的同意之下，決定棄農從商。

　　林振芳後來開設了他事業的起源點「義春鋪」，經營起雜貨生意。因為經營得宜，事業蒸蒸日上，成為當地的富商，在 31 歲的時候，被鄉人推舉為地方保甲的首領，稱他為「甲頭」或「家長伯」。

　　林振芳感念伯、叔小時對他的照顧，在事業有成之後，乃凝聚父輩「林三崑」兄弟家族的後代兩百多人共同生活，堂兄弟相處和睦，連吃飯都是家族一起吃的，而食衣住行育樂，更是家族自給自足。

　　林振芳因為捐貲與協助官方平亂，而逐漸提高身分與社會地位。總計參與協助平定臺灣清治時期三大民變之一，也是時間最久的「戴潮春之役」、「北勢番

之役」與臺灣建省以來規模最大的民變事件「施九緞案」。後來因捐輸納貢被授予官銜「中書科中書」；又因熱心公益，彰化知縣特別贈予「彥方遺軌」匾額一方；更因賑災捐貲晉授「同知」職銜。至光緒5年（1879年），豐原慈濟宮首次要重修，林振芳出面廣為募捐了兩萬四千圓，並被慈濟宮刻寫於牆上表揚。因這些事件而成為揀東上堡總理，躍為當地仕紳之首。

《馬關條約》後，臺灣民主國獨立失敗，丘逢甲先生寫下〈離臺詩〉六首之後，在林振芳協助下，由上楓十二甲張曉峰家喬裝娶親隊伍，掩人耳目，護送丘逢甲回大陸祖籍地去，事後丘逢甲致贈了墨寶感謝林振芳的協助。

到了日治時代初期，臺灣島內剎那間陷入改朝換代的紛亂，家長伯出面安定社會人心，與日本人周旋中盡力保護鄉親，加上多年來對地方事務的貢獻，於明治30年（1897年）與兩位兒子同受頒總督府「紳章」而授頒為紳士，同年12月，因收伏賊匪，論功行賞，賞勳局「特敘勳六等」，配授瑞寶章。另外歷任保良局

林振芳白手起家，協助官方平亂，於最發達之時建造了大夫第。大夫第今已列為臺中市定古蹟。

局長、臺中縣參事、臺中農會副會長、日本紅十字協贊委員等職位。

　　明治 38 年（1905 年）5 月因積勞成疾過世，祖號「英正昌業」，當時的民政長官後藤新平正在南巡途中，聽聞之後立即在葫蘆墩停車場驛室召見林振芳之子林柏璿，表達致哀之意，並致函弔唁，之後更率團到墓前參拜並攝影留念，由此可見其受重視的程度。而這封信內容後來便刻在林振芳墓前的牌坊上（1906 年由林柏璿建牌坊於墓前，此座牌坊為四柱三間建築，牌坊正面書有「長留遺愛」四字，後方則刻有後藤新平的慰問文）。林振芳墓園則於 2004 年公告登錄為歷史建築，位於大富路與大豐路交岔口。

　　林氏後人林葆家（1915 年～ 1991 年），昭和 10 年（1935 年）赴日本，棄

林振芳墓園前立有牌坊，正面書有「長留遺愛」，後方刻有後藤新平的慰問文。

醫學陶，日本京都高等工藝學校窯業科畢業後，進入日本國立陶瓷試驗所研習，昭和 14 年（1939 年）返臺，先後投入陶瓷工業、藝術陶瓷及現代陶藝界約五十餘年，是臺灣第一位赴日本學習陶藝的藝術家。一生的貢獻除在釉色的研發、窯火知識的啟蒙、現代陶藝技法的突破，更帶領臺灣陶藝走向國際，前往韓國漢城、日本福岡及美國展覽。中華民國陶藝研究學會稱其為「臺灣陶藝之父」。

孤臣無力可回天——丘逢甲

丘逢甲。

臺灣歷史上赫赫有名的丘逢甲，也與豐原深有淵源。

丘逢甲，別名蟄庵，譜名秉淵，字仙根，號蟄仙，晚號倉海君，一作滄海君；祖籍廣東嘉應州鎮平縣，客家人。清同治 3 年（1864 年）出生於苗栗縣銅鑼鄉竹森村，卒於明治 45 年（1912 年）。因祖父至葫蘆墩經商做生意，所以丘逢甲的童、少年就是在葫蘆墩度過的。他考中進士後，卻棄官回臺，受筱雲山莊呂氏禮聘講授漢文，從事教育工作，於是舉家遷往葫蘆墩。

丘逢甲作為臺灣士林領袖，早在中法戰爭時期感時憂國，而開始關心國際大勢，廣博涉獵近代法政學說思想。其兄弟先甲、逢甲、樹甲三人皆紓盡家財，投入籌防。但當時巡撫唐景崧對丘逢甲有所疑忌，限制其部隊只能以住所地臺中為

中心活動。《馬關條約》簽訂次日，丘逢甲即聯合士紳血書上奏朝廷表達抗戰決志，並連續四天率士紳與唐景崧面陳力諫利害，是鼓舞唐景崧留守臺灣的關鍵人物。《馬關條約》煙臺換約後，丘逢甲再率士紳與唐景崧會議，力陳臺灣不可自棄，力主臺灣紳民公決自主，會後以全臺紳民名義發表聲明，以「割地紳民不服」之公法為依據力爭，唐景崧也同時上奏朝廷，指出臺灣「權能自主，其拒倭與中國無涉」。割讓臺灣局面已定，清朝廷於是解除唐景崧職務，命文武官員內渡，臺灣獨立至此已是勢不可免，而且必須自力自為，臺灣民主國終於在 1896 年 5 月 25 日正式成立，唐景崧出任總統，丘逢甲則受任為副總統兼全臺義勇總辦。

　　5 月 29 日，日軍登臺，進占基隆。6 月 4 日，唐景崧棄職，乘德商輪船逃往廈門，臺灣民主國失敗，丘逢甲寫下〈離臺詩〉六首之後，在林振芳協助下，由上楓十二甲張曉峰家喬裝娶親隊伍，掩人耳目，護送丘逢甲攜家眷由梧棲搭船回大陸祖籍地去。〈離臺詩〉六首其中大家較為熟悉的包括「宰相有權能割地，孤臣無力可回天；扁舟去做鴟夷子，回首河山意黯然。」及「捲土重來未可知，江山亦要偉人持？成名豎子知多少，海上誰來建義旂。」

　　丘逢甲著有《柏莊詩草》、《嶺雲海日樓詩鈔》。明治 45 年（1912 年）因積勞成疾，卒於廣東鎮平員山里門第，臨終之際，仍遺言：「葬須南向，吾不忘臺灣也」。

　　2013 年臺中爆發潭子區與豐原區爭奪丘逢甲進士碑旗桿座古物事件。潭子區想將放在豐原區公老坪的丘逢甲進士碑旗桿座移回潭子，兩區搶古物大戰一觸即發。東海大學歷史系講師劉超驊、中興大學歷史系助教蘇全正、文史專家陳炎正等人指出，進士碑旗桿座會在公老坪，有其歷史淵源，也是歷史一部分。

　　丘逢甲是豐原女婿，在豐原住了十年，才遷居潭子，這個進士碑旗桿座是丘逢甲 26 歲考上進士時的文物，本來立在故居「柏莊」，丘逢甲在「柏莊」住了五

萬事都應付酒杯

眼看雲合又雲開中天月

色兩餘好大海潮聲風送來

人物秖今思故國江山莽古屬雄

鯨夢渡還堂　書奉

才瓢雲乘有鄉心在夜半騎

蘭甫老仁兄大人哂正　邱逢甲

丘逢甲致林振芳墨寶。（游惠玲／提供）

位於高處的丘逢甲紀念公園，是欣賞豐原夜景的絕佳地點。

年，因抗日失敗，接受豐原邱家資助，回到廣東原鄉。後來「柏莊」被拆毀，旗桿座被拆去溝邊當洗衣時的橋板，1961 年黃杰擔任臺灣省主席，丘逢甲之子丘念臺當國代代表時，客籍國代倡議建紀念碑，因「柏莊」已改建為磚窯，無法原址重建，豐原邱家協助提供公老坪土地興建丘逢甲紀念公園，丘母之墓及丘家墓園皆在該處。幾經審議，文化局最後接受學者專家意見，決議將丘逢甲進士碑旗桿座古物保留在豐原區公老坪的丘逢甲紀念公園不遷，並登錄為古物類文化資產。

因為在清代年間，不少「丘姓」者為避諱孔子之名，丘姓改成了普遍常見的「邱姓」，故丘逢甲宗族中姓「丘」或「邱」者皆有。1961 年中臺灣士紳由丘逢甲之子丘念臺及監察委員楊亮功等倡議，在中部地區興建一所大學，並為紀念丘逢甲而命名為逢甲工商學院，也就是現在的逢甲大學。

丘逢甲紀念公園內保留許多與丘逢甲有關的文物，如進士碑旗桿座等古物。

　　丘逢甲在我們的正史課本中固然有著知名抗日歷史人物、詩人、教育家的赫赫聲譽，但其身後其實也有一些負面的爭議與疑義，包括是否棄臺逃亡？是否支援唐景崧？甚至有傳聞其內渡之際，挾帶十萬兩白銀之巨額公款而行的說法？但因這些傳聞均無明確實據，持不同意見者亦不在少數，恐怕還需要更嚴謹的歷史考證方能喙論。

熱愛家園的豐原吟——張麗俊

　　張麗俊，字升三，號南村，清同治 7 年（1868 年）生於今臺中市豐原區中陽

張麗俊。（取自《葫蘆墩老照片特輯》）

里，卒於昭和16年（1941年），是張達京之兄張達朝的後裔。少時受學於鄭國琛及魏茂才、謝頌臣三人，勤讀漢學，從13歲起到28歲日本治臺為止，共接受長達15年的傳統漢學教育。文采豐沛，擅長書法。

1895年臺灣割讓給日本，1899年起擔任下南坑第一保的保正，到1918年因官司纏身而告結束。由於其努力任職，在第17年保正任上適逢日本領臺20週年，由安東真美總督賜以木杯作為紀念。大正元年（1912年）7月後，他除了擔任保正外，也擔任葫蘆墩區十九保聯合會議長，一直到大正7年（1918年）為止。

張麗俊一生致力最多的公益活動，可說是參與豐原慈濟宮的修繕工作。慈濟宮為葫蘆墩開發以來豐原重要的宗教信仰中心，於明治45年（1912年）以林慶連為總代加以修繕，後再由張麗俊等人為首倡議修繕，大正6年（1917年）6月開始修繕的工作。大正7年（1918年）張雖因故入獄，其修廟總理的職位卻未被解除。張麗俊對此自我解嘲說：「興產組合理事（指葫蘆墩興產信用組合）被人改選，而慈濟宮修繕會尚存者，大約理事有利，總理無利故也。」直到今天慈濟宮尚保存張麗俊修撰的碑文、柱聯等文物。

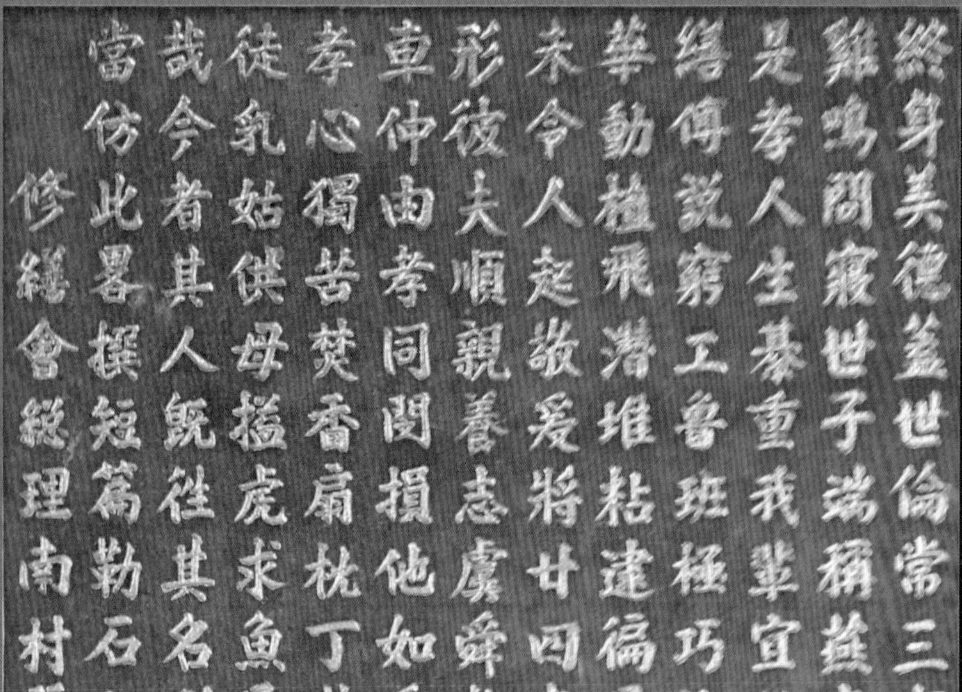

終身美德盖世倫常三事無虧二人有慶
雞鳴問寢世子端稱益喜登堂儀公特頌
是孝人生甚重我輩宜欽也兹慈濟宮修
繕倘说窮工魯班極巧盖丹木石刻畫增
華動權飛潛堆粘違徧是皆供人遊觀猶
未令人起敬爱將廿四孝子分布十二孝
形後夫順親養志虞舜孝並曾參米辜
卓仲由孝同閔損他如重父輕兒董郭之
孝心獨苦焚香扇枕丁黃之孝念殊殷豈
徒乳姑供母搤虎求魚見孝行之可嘉也
哉今者其人既往其名猶存人子事親自
當仿此署撰短篇勒石聊表斯人不朽云
修繕會總理南村張麗俊撰書

張麗俊親撰修繕紀念碑文，目前保存於慈濟宮。

在文化與文學活動方面，張麗俊是臺灣著名詩社櫟社 (68) 的社員，明治 39 年（1906 年）加入櫟社，櫟社成員多半是中部地區的士紳階層，他頗以加入此一組織為榮，對參與該社活動十分熱衷。此外，他同時也參加東山吟會，並提攜以豐原人為主的「豐原吟社」，是豐原在地詩社「豐原吟社」的主要領導人。

張麗俊從明治 40 年（1907 年）開始書撰《水竹居主人日記》至昭和 13 年（1938 年），共寫了 31 年，總計 28 冊日記，內容反映了當時經濟、人文、禮俗等紀錄，成為豐原市記錄史料的民間瑰寶。另外著有《南村詩章》，可惜遺帙未刊，部分詩作被選入《櫟社第一集》。而《水竹居主人日記》，至今仍被肯定是日治時期臺灣社會之重要史料，已由中研院近史所整理出版。

殞歿的臺灣第一才子——呂赫若

呂赫若。（呂芳雄／提供）

呂赫若 (69)，本名呂石堆，祖籍廣東饒平客家人，大正 3 年（1914 年）生於豐原鎮潭子栗林村。呂赫若上有兄長，是小地主家的二兒子。他不僅是文學家，音樂、戲劇方面也有優秀表現，還通曉英、法、義、日語等多國語言，才華洋溢。其生涯跨日治至光復後，並以 1945 年臺灣光復作為日文和中文的創作分期。因為呂赫若的主要創作期間多在日治時代，當時戶籍編制歸在豐原，也在葫蘆墩圳流域內。

呂赫若的作品表現出當時殖民地人民心靈

的苦悶吶喊，並控訴當時的社會經濟結構和家庭組織的病態。其作品大多發表於報刊雜誌，在世時只有出版日文短篇小說集《清秋》一書，但他在小說藝術的成就與對文學的信念實踐，使他成為臺灣文學史上最重要的作家之一。

　　據說呂石堆之所以用呂赫若為筆名，是希望自己成為如朝鮮作家張赫宙一樣的作家。呂赫若出身地主階級，因而有機會接觸新式教育，昭和4年（1929年）入臺中師範學校就讀，當時正值社會主義思潮澎湃，農工階級運動昌盛之際，呂赫若受到時潮之衝擊，對於其日後的文學理念與社會實踐，都有相當大的影響。呂赫若自臺中師範學校畢業，擔任峨嵋國小老師，後因語言不通，轉調南投營盤國小，並開始以呂赫若為筆名，創作文學作品。昭和10年（1935年）呂赫若的第一篇小說〈牛車〉於日本的《文學評論》發表，當時他年方22歲，初試啼聲

《牛車》書封。（遠景出版／提供）

即備受文壇矚目。小說敘述日本殖民時期臺灣的牛車夫，遭遇到現代汽車載運的挑戰和法律的束縛，逐漸喪失了生存能力，以至於妻子被迫賣淫，自己不得不偷盜而被捕的悲劇，是一篇充滿人道關懷的寫實作品。

　　昭和11年（1936年），呂赫若以〈牛車〉與楊逵的〈送報伕〉、楊華的〈薄命〉，一起入選中國作家胡風所編的《朝鮮臺灣短篇集：山靈》，成為最先被介紹到中國的臺灣作家。日本發動侵華戰爭，此時期日本統治者除對臺灣嚴行高壓政策之外，也強化推行「皇民化運動」。當時楊逵成立了「臺灣新文學社」來反

應臺灣現實生活，說出臺灣人的聲音，帶領人民進行新文學運動。而此時的呂赫若也活躍於《臺灣新文學雜誌》，可惜這本雜誌終究抵不過日本政府當局的壓力，後來遭到廢刊的命運。

侵華戰爭開始後，臺灣寫作環境越來越惡化，呂赫若就到東京轉而學習聲樂，進入武藏野音樂學校聲樂科，並積極參與文學、音樂、戲劇活動。畢業後，還曾參加東京東寶劇團《詩人與農夫》的演出。當時一家人在東京，呂赫若同時在出版社上班編字典，也在劇場工作、演出。音樂和戲劇的活動與演出之餘，他仍然積極地閱讀，而且不斷地鞭策自己寫作，堅決要走文學的道路。兩年之後，昭和17年（1942年），呂赫若因肺病返回臺灣，居住在臺北士林。昭和15年（1940年）初期的臺北正是生氣蓬勃的時候，回到臺灣後的呂赫若加入張文環的《臺灣文學》擔任編輯，和日本人西川滿主編的《文藝臺灣》形成競爭的態勢；之後並擔任《興南新聞》記者。他同時並行文學與音樂兩種藝術工作，不但在《臺灣日日新報》、《興南新聞》擔任新聞記者，更與作家張文環、音樂家呂泉生等人組成「厚生演劇研究會」，在臺北永樂座公演《閹雞》。當時呂赫若在戲劇、音樂與文學各方面皆頗有造詣，而被譽為臺灣第一才子，不過他最鍾情的還是文學的創作。昭和19年（1944年），呂赫若出版《清秋》日文短篇小說集，收錄〈鄰居〉、〈財子壽〉、〈石榴〉、〈合家平安〉、〈廟庭〉、〈月夜〉、〈清秋〉等篇，為其文學的精華，

《閹雞》書封。（遠景出版／提供）

也是當時臺灣作家中唯一出版的個人專集。其文學的思想性和藝術性皆已粲然成熟，擁有不容取代的創意與特質。

後來，他進入興業統制會社電影公司，一邊上班、一邊創作，認識前來應徵的蘇玉蘭女士，日後成為他的紅粉知己，兩人育有一子一女，元配不以為忤。喜愛小孩的呂赫若，和元配林雪絨亦生有六子三女。

二戰結束後，呂赫若無比熱情地歡迎新時代，加入三民主義青年團，擔任臺中分團籌備處股長，希望自己能善盡知識分子的社會責任。同時他除了在建中、北一女當音樂教師，在中山堂舉行演唱會外，他也認真學習華語，用中文創作小說，發表〈故鄉的戰事〉、〈月光光〉等作品。然而，時局板蕩，呂赫若逐漸發現，與強權的對抗尚未結束。

1946 年，他擔任敢於直言批判的媒體《人民導報》的記者，挖掘戰後臺灣政治經濟的黑暗面。他在《臺灣文化》發表了他的最後一篇作品〈冬夜〉。〈冬夜〉以日治末期至戰後初期的臺灣社會為舞臺背景，透過一名女子的淪落與悲運，描寫當時臺灣社會經濟惡化、官僚貪汙、民生凋敝等社會問題，並預言了一場社會風暴即將來臨。當年，臺灣爆發全島性的二二八事件，呂赫若對時局徹底失望，更加苦心思索，身為一個作家如何發揮更大的社會改革力量，如何以社會主義思想改造臺灣，他主編左翼媒體《光明報》，甚至變賣家產，開設「大安印刷廠」，即印製社會主義理念的宣傳品。

國民政府撤退臺灣，這年也發生了所謂的「光明報事件」、「基隆中學事件」，許多左翼分子被捕，呂赫若走離家鄉，一方面逃亡，一方面仍然積極參與對抗運動。1951 年，因參與「鹿窟武裝基地事件」於鹿窟基地為毒蛇咬死，並且埋葬在鹿窟山區。鹿窟事件是 1950 年代白色恐怖逮捕行動中，株連人數最多，也最荒謬的政治

位於鍾理和文學紀念館內的呂赫若紀念碑石。

案件，導致當年臺北縣石碇鄉的玉桂村完全清鄉滅村，從此從地圖上消失。呂赫若那時擔任無線電發報的工作，因為老式的發報機功能不佳，同時也為了逃避國民政府的偵察，常跑到路遠的地方發射，所以工作多為晚上進行。而鹿窟當地晚上蛇特別多，據當時同在鹿窟基地的同志回憶說，呂赫若是被草叢的龜殼花咬傷，加上又延誤了急救時機，因此而喪命，得年38歲。石碇鄉蚯蚓坑28號正對面的山坡竹林區，據說就是呂赫若被毒蛇咬死之處。該處也正位於石碇永定國小的對面山坡。

　　身後的手稿及書籍因家人對政治肅殺的恐懼而悉數掩埋於家前的荔枝園，僅有一本日記（記錄昭和17年～19年）因為詳實記錄了子女的出生年月日而保留傳世。呂赫若的作品以反對封建與家庭的病態為主要創作對象，但是呂赫若小說

中的女性題材也是比較特殊的。其中〈暴風雨的故事〉、〈婚約奇談〉、〈女人心〉等作品，特別能反映時代、描繪出當時女性與殖民地人民受壓迫的悲哀。

在日本殖民時代裡，無論當下環境多麼惡劣，呂赫若始終沒有離開過，更沒放棄他追尋文學、藝術的理想；1945 年之後，他更積極地把戰前與戰後被日本及二二八以至白色恐怖時期專權統治下的人民經驗，利用寫作寫實地表現出來，勾畫出那段時代的面貌。他創作小說的發想都在反映社會問題，包括階級問題、性別問題以及專制統治的問題等等，因此他的作品從未脫離過當下的臺灣社會，同時也在文壇裡發揮了他社會現實主義的文學品格與價值。

臺灣新美術的拓荒者——廖繼春

由臺中縣立港區藝術中心策畫出版的廖繼春畫冊《彩繪生命的油畫家廖繼春》。（臺中市政府文化局／提供）

廖繼春 (70)，明治 35 年（1902 年）出生於臺中縣葫蘆墩圳寮，出生地圳寮為葫蘆墩圳西汴幹線流經豐原市區主要流域；卒於 1976 年。他是臺灣西洋繪畫的先驅，是臺灣新美術的拓荒者，更是臺灣美術史上重要的前輩藝術家；在臺灣前輩畫家中，是極富眾望與親和力的一位。

曾就讀葫蘆墩公學校及臺灣總督府國語學校；大正 13 年（1924 年）入學東京美術學校的圖畫師範科，師事田邊至，感受到自由解放的藝術風氣。大正 17 年（1928 年）以作品《芭蕉之庭》入選第八回東京帝展，後續作品也曾多

次入選帝展、臺展。回臺後以教職終生，桃李滿天下。長期任教於師大、藝專、文化學院等校，不只對學生，對臺灣西畫壇影響甚大。臺灣半抽象、半具象之油畫作品，大體受到廖繼春之影響。

他的寫生風格常是以觀感為基礎，用粗短的筆觸表現其對風景的造形觀感，取其色、棄其形，用色主觀鮮明。他既是美術教育家，也是獨創風格、用色瑰麗的畫家。以瑰麗的色彩，喚醒我們沉睡中的想像力，以不同的角度、不同的形象去看待自然中事物，是這位畫家所帶給我們的啟示。

🌼 臺灣畫壇的孤獨勇者——楊啟東

步入老年仍作畫不輟的楊啟東。（楊維哲／提供）

享譽臺灣早期畫壇水彩畫三大巨擘之一的楊啟東先生 (71)，號東穎，明治 39 年（1906 年）11 月 8 日出生於臺中縣葫蘆墩圳寮，卒於 2003 年，被譽為臺灣畫壇「孤獨勇者」。當年楊啟東、顏水龍和林之助三人被稱為中部美術界的三大龍頭。

臺灣總督府臺北師範學校畢業，先後任教於臺中高職、臺中高專三十年。求學時代，受石川欽一郎之薰陶、影響。畢業後，被派至臺中北屯公學校任教，當時其前後

楊啟東以鮮豔的筆觸繪製臺灣的傳統宮廟建築。（楊維哲／提供）

由臺中縣立港區藝術中心策畫出版的楊啟東畫冊《美術教育的耕耘者楊啟東》。（臺中市政府文化局／提供）

期同學如李梅樹、楊三郎、顏水龍等皆赴日深造，唯其因受限家境因素無法成行，但他並未因此氣餒，反而全力自修、作畫，此時期作品呈現出一種表象寫實、視覺仿同的美感。前期採印象派手法創作風景畫與人物畫，其後概用野獸派筆法畫出不透明水彩作品，68歲後轉藉油畫材料表現學院派之寫實人物與風景。

楊啟東於昭和12年（1937年）以水彩作品《黃昏的貯木池》（畫中貯木池即為今豐原區南陽路東勢林區管理處之原貯木池，後來改建為臺中縣政府，也就是現在的臺中市政府陽明大樓所在）入選第一回合臺灣美術展覽會，此後即成為臺展、府展的座上常客。1960年代後更多次入選法國春季沙龍，且於1965年、1980年獲得第三名榮譽獎，之後也積極參與藝術活動，成為臺中市立美術協會、春秋畫會、中部水彩畫會之創辦人，乃於臺灣的畫壇占有其一席之地。

🍃 畫壇豐原班的火車頭——葉火城

葉火城(72)，明治41年（1908年）生於臺中豐原，卒於1993年。幼時家境貧寒，國小畢業後，進入臺北第二師範學校就讀，師事石川欽一郎，接受正統水彩技法，畢業後，即任教職。後來任豐原國小校長時，推展美勞教育，作育無數英才；任明

推展美勞教育、作育無數英才的臺中畫家葉火城。（葉忠明／提供）

志工專工業設計科主任時，更是積極推動工業美術化，與李石樵等創立「葫蘆墩美術研究會」，推動中部美術活動，造就中部現有名畫家無數，可說是「教育家與藝術家」的典範。

　　從臺灣新美術的啟蒙階段開始，葉火城校長即以工作所在地豐原為核心地，致力於藝術創作與教育推廣，對臺中地區近代美術的推動功不可沒，就像一塊永不消磁的磁鐵，吸引著無數有志油畫創作的學子；而其當初所帶領的一群年輕輩畫家（後續因在各項藝術競賽中獲獎無數，而被藝術界通稱為「豐原班」），在共同邁向西方美術的領域之餘，更開創了臺中美術的新紀元。

　　其構圖嚴謹，在岩石的處理更有其獨到之處，加上用色多樣豐富，被譽為：

深耕臺中的葉火城，畫筆也聚焦故鄉，畫成《豐原一角》，為豐原保存了昔日記憶。（葉忠明／提供）

「岩石之父」。《豐原一角》在昭和 2 年（1927 年）入選第一回臺展後，作品開始多次入選府展，終獲全省美展永久免審殊榮，並首創慈善油畫個展。

✈ 臺灣首位飛行員——謝文達

謝文達 (73)，臺中豐原烏牛欄庄人（1901 年～ 1983 年）。祖父謝道隆為清朝秀才，曾經追隨丘逢甲參加臺灣民主國獨立運動。16 歲時謝文達觀賞美國特技飛行家 Art Smith 在臺中的表演之後，立志學習飛行。臺中高等普通學校（臺中一中前身）畢業後，說服家人放棄對他習醫的期許，赴日投考日本千葉縣津田沼海岸的伊藤飛行機研究所，不但考取，且以優異成績完成學業並取得「飛行士」資格。曾經多次參加飛行競賽獲獎，為臺灣第一位飛行員。

大正 9 年（1920 年）8 月 2 日、3 日謝文達參加在東京舉行的世界飛行競賽，由日本帝國飛行協會主辦的「第一回懸賞飛行競技大賽」。在高手如雲的日本東京，謝文達以精湛的技術締造了高度 1,400 公尺、速度 120 公里的佳績，勇奪「三等賞」（第三名），第一、二名都是歐洲人士，「臺灣日本人謝文達」竟為全體日本國民拿下最榮耀的桂冠！消息登在 8 月 5 日的《臺灣日日新報》，鄉親為之振奮，這大概是最早的「臺灣之光」了。

謝文達於 8 月 17 日搭輪船啟程回臺，他的座機「勝利號」由汽船載運，三日後運回臺灣。《臺灣日日新報》還披露了鉅富辜顯榮捐贈了兩千元以充作謝文達日後飛行活動的資金，這筆金錢相當於當時一位警察九年多的薪水！這樣大手筆的捐贈也證明了當時「謝文達旋風」的魅力。

大正 9 年（1920 年）10 月 17 日於臺中練兵場，謝文達以自購「伊藤式惠美

謝文達與妻子的新婚照。（張光前／提供）

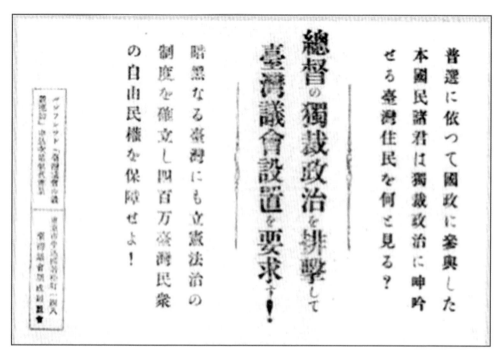

謝文達駕機在東京上空遍灑臺灣議會設置請願的宣傳單。

五號」飛機升空進行首次「鄉土訪問飛行」為臺灣人在原鄉的首次飛行紀錄。其後在臺北練兵場（今青年公園）又進行兩回飛行表演，轟動全臺，也激發了臺灣人的政治平權自覺意識。謝文達的飛行表演，讓臺灣人倍覺光彩，畢竟臺灣也有了能「飛」的人，於是組織後援會，熱烈捐款，募集了兩萬多元，向日本伊藤飛行製作所購置三座位式飛機致贈謝文達。後援會包括蔣渭水發起的「稻江應援團」和「在北本島人學生聯合應援團」。當時島內的新生代，尤其是原本存有芥蒂互不往來的醫學校、師範學校學生，大家為作謝文達飛行事業的「後盾」，捐棄前嫌，團結一致，共同召開歡迎會，並組織「在北本島人學生聯合應援團」，印製「謝

文達先生飛行紀念」明信片一組，為此次飛行表演留下珍貴的紀念。

　　大正 12 年（1923 年），蔣渭水等人到東京進行第三次臺灣議會期成運動請願期間，謝文達駕駛臺人募款購買的「臺北號」飛機，從空中揮灑臺灣議會宣傳單二十萬張、五種色彩，為遊行掀起高潮。傳單上書「臺灣人呻吟在暴戾政治之下久矣！」、「給臺灣人議會吧！」等文字，因而不見容於當時的日本政府。同年遂潛往中國大陸，投效中華民國空軍。他將臺灣人為他募得的購買飛機餘款九千多元悉數捐贈予關東大地震的受災專戶。

　　其後歷任河南國民軍航空隊長、南昌機場場長以及廣州航空學校教官等職務，後因征討李宗仁戰役，飛機失事摔成重傷，乃以中校官階退役。1945 年二戰結束，謝文達回臺灣之後應省議會議長黃朝琴之聘，擔任臺灣省議會專門委員，前後共達 17 年，還一度出任臺灣機械製造廠總經理。

　　豐原的地靈人傑，讓葫蘆墩的人文故事豐富精采，短短篇幅，難以盡述。除了上述早期與豐原有密切關係的歷史人物外，近年也有許多名人出生自豐原或生活在豐原的，如證嚴法師、草蝦養殖之父廖一久；作家如笠詩社發起人陳千武、知名兩性作家廖輝英；運動家如第一位臺灣知名職業高爾夫球員涂阿玉、中華職棒第一位本土全壘打王林仲秋；音樂人如張雨生、辛曉琪、徐若瑄、黃舒駿等。

　　至於以《黑面慶仔》聞名的鄉土作家洪醒夫服務於社口國小，與臺中、豐原文士交好，因車禍而逝世於豐原；跨語世代文學大師楊逵的孫女、太陽花學運健將魏揚的母親、本身長期投身社會運動與臺灣文學的楊翠，童年也是在豐原成長的。當代政治人物出身或寓居豐原者更不在少數。因此筆者每每走訪地方耆老，總能從耆老們口中聽到「豐原出能人」、「豐原最美的是人的故事」等評述。

用雜誌讓生活更好

豐原，其實一直都是人文薈萃、經濟繁榮的城鎮，豐原的故事、豐原的文化，在鄉親們的共同努力下，它也一直在寫著歷史。有幸地，從很久以前，我們這塊故鄉上就一直有許多有志的文史夥伴、前輩們，很努力地在為大家記錄著這些在地歷史：包括《豐原一週》、《豐東學區報》、《豐原社區報》、《葫蘆墩福報》、《葫蘆墩季刊》。期間縱使稍有間斷，但文史傳承始終不滅。

豐原人對於故鄉的關注，體現在發行了一期又一期的在地刊物。圖為各期《葫蘆墩季刊》。

以季刊形式發行的《葫蘆墩福報》。

1980 年，社會上流行一句話：「你想害誰，就叫他去辦雜誌，或者去選舉。」那年 8 月 3 日《豐原一週》創刊了。1990 年後雖仍陸陸續續出過《豐原一週》，但是已經越來越難做，直到 1995 年底開始不再出刊。創辦人兼社長林祚堅，中國文化大學新聞系畢業，現在是退休人。

《葫蘆墩福報》創刊於 1999 年 12 月，停刊於 2008 年 9 月，以季刊發行。採用 A4 四張半橫式，刊頭半頁折置中，是現代簡約風格的編排。創辦人為仁社林宣宏社長。編輯主軸包括：根源探索、文化交流、社區動態、學習資訊。

1999 年 12 月 18 日，九二一大地震後不久，豐東國中退休教師洪朝棟與好友羅德財和蘇英見決定成立「豐東故鄉重建工作隊」，發行《豐東學區報》，希望對地震之後的重建工作盡一點力。一年之後，幾經商討，認為有必要擴大參與，因此將《豐東學區報》改為《豐原社區報》，報導內容不再局限於「豐原以東」。不久，再把工作團隊改組為「豐原社區總體營造協會」，集結眾人心力為家鄉打拚。2006 年 12 月印行第 59 期後，《豐原社區報》走入歷史。

2013 年 3 月，《葫蘆墩季刊》創刊，由豐原國中退休楊宏祥主任主編，「繁榮葫蘆墩促進會」發行，以傳承葫蘆墩傳統文化、激發創意文化與產業為自我期許與責任。而將葫蘆墩活力提升，以公民意識的凝聚，為新豐原的發展訂定一個可行的目標與願景，邁向葫蘆墩的嶄新未來，則是《葫蘆墩季刊》期許的願景。

《豐東學區報》為《豐原社區報》前身，後者報導內容不再局限於「豐原以東」，而是擴大
關注整個豐原地區的環境與生活。

第五章

垂柳青青的小蘇州

日治時期葫蘆墩圳的取、進水口的水門，遠方可見花樑鋼橋。（取自《葫蘆墩老照片特輯》）

　　今日，豐原郊區的許多良田仍然引葫蘆墩圳水植育著我們的葫蘆墩米，而老豐原人對這條母親河其實有一個更親切的稱呼，我們都叫它「大溝」。

　　1950、1960 年代以前出生的老豐原人記憶中的葫蘆墩圳，水質相當清澈，兩岸種滿了尤加利樹、柳樹、茄苳樹等。無怪乎劉銘傳來臺後，見豐原土地肥沃物產富饒，便命名為「富春鄉」；又因四季如春、山明水秀，氣候適宜農作物生長，與大陸蘇州景色相似，而且多出美女，於是又給予「小蘇州」的名號。我們在原臺中縣文化中心（今葫蘆墩文化中心）所出版的《葫蘆墩老照片特輯》中可以看到一張林春香女士提供的 1960 年葫蘆墩圳西汴的老照片，那兩岸垂柳青青的影像，觀之總是引人喚起對「大溝」曾經擁有的美麗回憶與憧憬。

日治時期的婦女聚集在葫蘆墩圳西汴（今忠孝街附近）洗衣。（取自《葫蘆墩老照片特輯》）

　　然而，1980 年為因應豐原市區經濟成長所衍生的道路與停車需求，豐原市公所協調臺中水利會將東汴幹線豐原市區段加蓋，作為停車場及道路之用地，改變了豐原鬧區內「大溝」的樣貌；到了 2010 年，臺中縣、市合併為院轄市臺中市。若干豐原鄉親們憂心豐原發展邊緣化危機，發起「水岸花都：葫蘆墩圳東汴市區段掀蓋整治」運動，希望帶動豐原重新發展的方向與定位，並持續運作迄今。當時筆者有幸參與了這個運動的發起，以華文臺語書寫的形式寫下了下面這段文字：

〈大溝望清溪〉
大溝ㆤ水

偃清朝ㄟ時陣流嘠今仔日
偃大甲溪畔術過葫蘆墩ㄟ繁華地界
嘛致蔭了新廣庄、大雅庄
伊流ㄟ係阮故鄉繁榮ㄟ血脈
擱卡係阮思念故鄉ㄟ源頭

团仔時代
阮踮在溝邊看丫嬤洗阮咱ㄟ团仔衫
丫公攏愛去頭前土地公廟埕甲人行棋、開講、鬥嘴鼓
溝邊偌間餅店
係阮八月時尚愛ㄟ箄璐
阮嘛ㄟ趁序大人無閒ㄟ時陣
偷走下去溝邊玩水、抓魚仔

年節哪到，竹廣市仔甲橫街仔就係阮ㄟ快樂天堂
丫母把小妹妝嘠美美，把阮穿嘠漂漂ノノ
丫爸嘟帶阮去迌街　撈魚仔、打珠仔臺、報箍仔
阮總係玩嘠愛人嘩才邁停

擱再行過溝邊
倥著點丫膠ㄟ街仔路
溝沒囉，溝邊已經唔擱係阮記智中ㄟ大溝甲溝仔邊

因為葫蘆墩圳的澆沃，讓豐原地區乃至整座臺中盆地的農田茂盛豐美。

　　阮也已經唔擱係偌當時ㄟ青春少年兄囉

　　阮過去ㄟ青春未當擱倒轉來

　　迦吶ㄟ當嗯望葫蘆墩大溝ㄟ春天

　　趕緊擱再倒轉來

　　乎阮ㄟ大溝擱再溪清魚游，乎阮ㄟ故鄉擱再繁榮富裕

　　乎阮ㄟ鄉親擱再榮耀

　　阮嘟係葫蘆墩人

（陳淑芬改編歌詞、魏志真譜曲收錄於書後附錄）

　　從清雍正年間張達京開圳到今日，即將邁向三百年歷史的葫蘆墩圳，中間固

然迭經整建變遷，依然留下了諸多歷史遺留，以及豐原人對它的甜蜜回憶，即使重拾與溪河之間的親密關係還需要時間，以及豐原人的耐心，但我們所能做的也不只是等待，而是對葫蘆墩圳付出更多的關注。關注的第一步可以從行踏流域周邊的景觀開始創造，由我們自身的行跡再為葫蘆墩圳寫下更多繁榮的傳奇。

葫蘆墩圳幹線旁等待收成的農田。

母親的擁抱與滋養——葫蘆墩圳圳路與灌溉區域概況

　　葫蘆墩圳的興築，從清廷領臺時期的張達京以迄「六館業戶」、「陳五協」開始，乃至後續日治時期迄今的工程沿革與變遷，從大甲溪引入清澈活水澆沃豐原以及大臺中平野，如此奠下了今日豐原以及大臺中的繁榮。而要了解葫蘆墩圳為大臺中盆地成就的繁榮傳奇，必先理清葫蘆墩圳圳路與灌溉區域的概況。

　　根據陳炎正的《葫蘆墩圳開發史》研究，葫蘆墩圳自清領時代開圳發展到今日，圳路幹、支線水路系統龐複，涵蓋大臺中盆地範圍至廣，灌溉區域面積在日治時代達一萬三千多甲，目前灌溉區域面積也有七千多公頃。單以文字敘述這些水路系統，可能不容易讓讀者朋友們閱而即解，所以我們在此就以簡單的灌溉區域圖陳示，希望讓大家方便一目了然。

01	萬定汴（人命水）
02	舊二埤
03	頂角潭（上埤）
04	水上土地公廟（大鴛鴦汴）
05	葫蘆墩公園
06	小鴛鴦汴
07	豐原區公所
08	摘星山莊
09	大社
10	東門汴
11	五汴頭土地公廟
12	筱雲山莊
13	頂瓦厝
14	岸興宮福德廟
15	岸裡國小
16	大夫第
17	萬興宮
18	五大汴

01	西汴幹線
02	東汴幹線
03	烏牛欄支線
04	茄至角支線
05	北屯支線
06	四尺八汴支線
07	四張犁支線
08	社皮支線
09	東門支線
10	南門支線
11	百廿張汴支線
12	橫山支線
13	中央圳支線

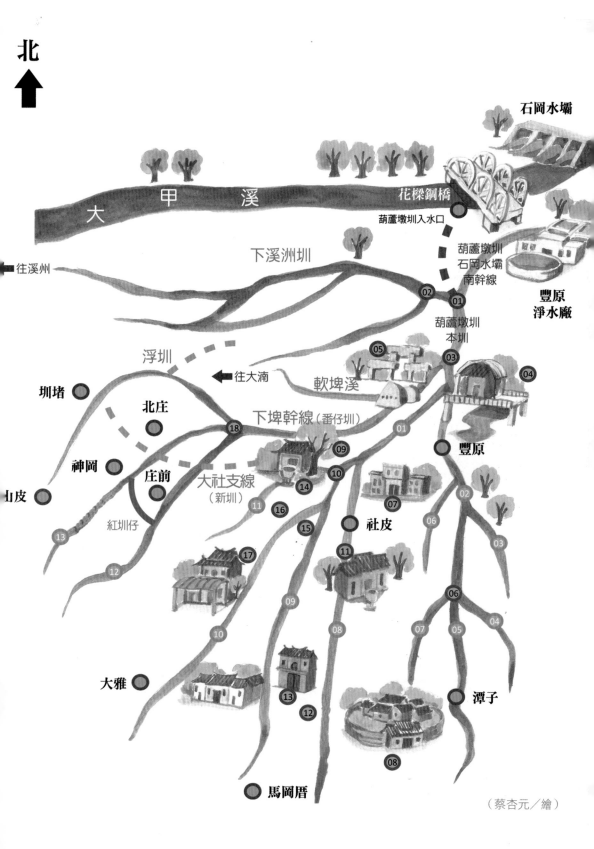

北

石岡水壩

大　甲　溪　花樑鋼橋

往溪州

下溪洲圳

葫蘆墩圳入水口

葫蘆墩圳
石岡水壩
南幹線

豐原
淨水廠

02　01

葫蘆墩圳
本圳

浮圳

往大湳

軟埤溪

05　03　04

圳堵

北庄

下埤幹線（番仔圳）

01

神岡

庄前

大社支線
（新圳）

山皮

紅圳仔

18

09

10

14

豐原

11　16

15

07

社皮

13

17

06

03

12

11

02

06

大雅

09

08

潭子

08

07　05　04

10

13

12

馬岡厝

08

（蔡杏元／繪）

張家祖厝萬選居

　　行踏這條豐原母親河葫蘆墩圳的歷史遺留與周邊傳奇，我們選擇從位於臺中市豐原區翁社里（在地人稱翁仔社）的張家祖厝「萬選居」[74]開始。位於翁社里的萬選居並不在葫蘆墩圳水路周邊，我們卻選擇從此處開始行踏，主要原因無外乎緬懷開圳先行者張達京。

　　萬選居是張達京的後代張萬春的故居。至於張達京當年的故居在岸裡，並未被保存下來，如今僅剩下豐社路上的一枚遺址標註。萬選居始建於清同治10年

萬選居門樓，對聯寫道：「萬選青錢文傳海內，千秋金鑑名震朝中。」

（1871年），完成於同治12年（1873年），迄今已有一百餘年的歷史，占地一甲餘，整棟建築依客家夥房樣式建造，有三進四護龍，當時特聘唐山匠師建造。目前保存良好的牆面交趾陶則是晉江一品堂蔡姓匠師的作品。

　　萬選居入口處小門樓的門額上有「萬選居」三字，其意為兩旁的對聯「萬選青錢文傳海內，千秋金鑑名震朝中」。上聯係勉勵張家後代子孫好學以達文辭出眾的意思，下聯則是惕勵子孫要保有忠誠耿直的美德。萬選居內最引人注目的則是在正廳祠堂外兩旁的對聯：「紹祖宗一脈真傳克勤克儉，教兒孫兩件正事惟讀惟耕」，表達了客家最傳統的敬祖睦宗精神，並期勉張家子孫能夠勤儉持家、團

萬選居是張達京後代張萬春的故居，迄今已有一百餘年的歷史，不少文史團體前來參訪。

結奮鬥、適性發展以期耀祖光宗。

　　從萬選居入口處經過大埕，就來到前院正廳，其門上有匾一方，上面書著「詒穀堂」三字，再入內便是二進院，大廳內部供奉張家祖先牌位，上方懸有光緒元年（1875 年）「曲江世德」匾，此一門廳在九二一大地震後的修復工程中，張家將其屋脊恢復為翹脊形式。

　　前臺中市長張啟仲先生、前臺中市議長張宏年先生均出身自「萬選居」。張啟仲先生是「萬選居」十七世祖張德富的五子。根據臺中市豐原區公所於 2013 年編印的《豐原翁仔社老照片專輯》，1955 年 3 月 31 日張啟仲父親張德富七十大壽，因為張啟仲與蔣緯國將軍是結拜兄弟，蔣緯國將軍當時親臨賀壽，並在「萬選居」前廳門留影紀念。

　　萬選居於 2003 年 2 月就已公告登錄為歷史建築，地址位於臺中市豐原區翁社里豐年路 149 巷 10 弄 16 號。目前大臺中的古蹟、歷史建築、遺址等文化資產皆由臺中市政府文化局轄下的臺中市文化資產處統籌管理。萬選居目前後代尚有多人居住於此，戶戶有門牌，計有二十多戶。

　　從 2013 年 3 月起，臺中市政府客家事務委員會每年在豐原舉辦「全國客家日」[75]的活動，並選定位於豐原翁社里的「張家祖厝萬選居」作為會場，熱熱鬧鬧地辦理為期三天的「樂活客庄慶天穿」活動，藉由在地導覽的方式，讓豐原人開始關注本土文化發展的脈絡。

❀ 豐榮水利之碑

　　葫蘆墩圳取、進水口因歷代工程考量，曾有多次更替。葫蘆墩圳初期進水口，

葫蘆墩圳的早期取、進水口位於萬順宮後方,目前已荒廢難至。

由埤頭的大甲溪南岸懸壁鑿地洞（隧道）引進大甲溪水,流經約一公里處出口至上、下埤幹線,此為葫蘆墩圳最早期的開發取水工程,用了約兩百年之久,如今則已荒廢難至。這個早期取水處位於現在「豐榮水利之碑」東側、萬順宮後方。

　　日治時期大正 12 年（1923 年）,日本當局以原有地洞整修不易,改移至縱貫鐵路（山線）舊花樑鋼橋下,設堰堤攔水引進大甲溪水,改以明溝圳路（渠道）引水,管理較為便利。合併葫蘆墩圳組合、八寶圳組合、王田圳組合,設立一專責機構,命名「豐原水利組合」；昭和 14 年（1939 年）將豐原水利組合改稱「豐榮水利組合」,並設置「豐榮水利之碑」,記載葫蘆墩圳開設始末,並將舊有取水口修改為攔水鐵門現代化設施。

　　「豐榮水利之碑」由當時的豐榮水利組合長從五位勳六等的甲木奉吉設立，臺中州知事正五位勳四等的奧田達郎閣下題字，碑文內容主要敘載葫蘆墩圳開設始末，為當時水利工程開發的歷史見證，是研究葫蘆墩圳水利開發的重要歷史文物。九二一大地震，「豐榮水利之碑」因所在地亦遭波及而從基座斷裂傾倒，據地主告訴我們，所幸主碑體本身並未受損，所以災後由文化局進行修復，很快就得以恢復原貌。

　　目前「豐榮水利之碑」位於臺中市豐原區萬順二街盡頭，2004 年已公告為碑碣類歷史建築，所有權屬臺中農田水利會，但基地為民有私地的園圃，周邊雜草叢生，顯然沒有任何維護管理。紀念碑旁邊的陡坡有一條小路可以下探大甲溪，不過路口立有禁止進入的告示，坡下就是張達京等「六館業戶」開鑿的引水隧道。日本統治臺灣後，曾以較進步的鋼筋水泥及水利設施等技術加以修建，但今日均已荒廢，並基於安全考量與管理不易而禁止參觀了。對

見證水利工程開發的「豐榮水利之碑」。

於葫蘆墩圳開發史這麼重要的歷史建築，應當妥善規劃與保存。

🍂 花樑鋼橋下葫蘆墩圳舊進水口

前面我們提到日治時期當局以原有地洞整修不易，改移至縱貫鐵路（山線）舊花樑鋼橋下，設堰堤攔水引進大甲溪水，改以明溝圳路（渠道）引水，管理較為便利，至昭和 14 年（1939 年）又將舊有取水口修改為攔水鐵門現代化設施。

日治時期即存在、橫跨大甲溪的花樑鋼橋。

1977年石岡水壩完工，葫蘆墩灌溉水路重新調整，於食水料溪建新取水口，葫蘆墩圳改道經南幹線渠道合八寶圳 (76)，由石岡水壩統一引進水源，本處進水口乃停用。九二一地震後，石岡水壩嚴重毀損，影響南幹線渠之取水，當時李登輝總統下令緊急修復原日治時代興築於臺鐵花樑鋼橋下之舊進水口，作為葫蘆墩圳臨時取水灌溉之用。所以我們現在看到進水口上的「葫蘆墩圳進水口」所標示的年代為「民國89年」。

石岡水壩修復迄今，葫蘆墩圳仍由石岡水壩取水，經南幹線渠，於萬定汴匯入葫蘆墩圳幹線。目前舊進水口前方荒草雜蕪，後面的舊渠道也是積水不動、雜草叢生。但從進水口處可以看到不遠處對面的花樑鋼橋跟大甲溪景觀，視野良好。

❧ 萬定汴（人命水）

九二一大地震後，石岡水壩修復迄今，葫蘆墩圳主要仍由石岡水壩取水，經南幹

上圖：原葫蘆墩圳舊進水口。
下圖：原葫蘆墩圳舊進水道，如今已茂生雜草，不堪使用。

線渠，於坐落在角潭路二段的萬定汴（人命水、三分水）匯入葫蘆墩圳幹線。

萬定汴正是我們前面所提到乾隆 33 年（1768 年）4 月「人命水」事件傳說的歷史場域。由於東堡屢次將大甲溪、葫蘆墩圳水盡斷流，西堡居民強行拆除，在爭執過程中，西堡有三人死亡。「人命水」事件震驚當局，乾隆 34 年（1769 年）彰化知縣成履泰乃立「分爭水利示禁碑」，碑文嚴禁東、西堡民番分爭大甲溪水。從此不管亢旱，以每年 2 月初二、土地公生日起，東堡必須讓出十分之三的水給西堡使用，所以地方老鄉親們又稱此地為「三分水」；再者因為這十分之三的水是用西堡人命換來的，所以在地人也稱此處為「人命水」。

萬定汴上的水梘橋，外形似口琴，故又俗稱口琴橋。

葫蘆墩圳的南幹線渠。

葫蘆墩圳自石岡水壩取水後，經由南幹線渠在此分流，圖為葫蘆墩圳幹線水道。

目前葫蘆墩圳自石岡水壩取水，經由南幹線渠在此分流，一者匯入葫蘆墩圳幹線往東湳里、西湳里奔流而去，一者分流往下溪洲圳。萬定汴上以水橋引水跨越第一埤至第二埤之水梘橋，因為形狀類似口琴，所以有些在地人俗稱為「口琴橋」。雖然「口琴橋」這樣的名稱並非來自歷史考據或工程地標，但仍是在地庶民的在地觀點，所以我們一併在此酌錄予讀者們知悉。

南幹線渠在穿越后豐鐵馬道處 (77)，豐沛的水量再加上地勢落差大，形成萬馬奔騰氣勢景觀，是后豐鐵馬道上一處美麗小景點，若行踏后豐鐵馬道時不妨留心

駐足一下，頗值得一賞。

　　第一埤旁邊有一條田間小徑，完全是泥石路，路況蜿蜒崎嶇，不是很好走，路旁是葫蘆墩圳舊進水口的聯絡水道，因為舊「葫蘆墩圳進水口」目前已不再使用，所以聯絡水道平常也無水流。沿著小徑一直走個十幾分鐘，就會找到大甲溪旁花樑鋼橋下的舊葫蘆墩圳進水口。這條小徑現在除了當地住戶居民外，已經很少有人從這條小路去舊葫蘆墩圳進水口，但走在其間，看著路旁荒蕪的舊水路，其實頗有一番思古之情。

❧ 頂角潭第二制水門

　　葫蘆墩圳從坐落在角潭路二段的萬定汴以下進入葫蘆墩圳幹線，來到頂角潭處設有第二制水門，這裡是上埤、下埤的分流處。一路走來，路旁景色由綠油油的稻田漸漸轉入市郊區的樣貌，圳邊不時可以看到釣客垂釣，又是一番風景。

　　因為是上埤、下埤的分流處，頂角潭成為葫蘆墩圳開發史上的重要地標之一，《葫蘆墩老照片特輯》中就蒐列了兩張 1953 年頂角潭上葫蘆墩圳水閘的老照片，足見其歷史地標的重要。只是歷史時空變遷，頂角潭的面貌早已不復以往。

　　目前的頂角潭處第二制水門就只是默默地矗立在角潭路的路旁，水門的兩道閘門將圳水分往下埤，並及於軟埤溪，參觀者如果沒用心尋找，很有可能車子呼嘯而過就忽略了這個歷史地標。

　　日治時期，當局為了有效調控葫蘆墩圳水源，所以在頂角潭這裡設置了水門以為上、下埤分流，再藉由下埤分流軟埤溪，為豐原市區做好洩洪分流系統。設置至今，除了 1959 年 8 月 7 日至 8 月 9 日，發生於臺灣中南部的嚴重水患八七水

頂角潭第二制水門，此處為下埤、軟埤溪的分流處。

災之外，豐原市區幾乎沒有出現任何重大水患災情，前人的智慧與苦心，讓人不得不敬佩。

大鴛鴦汴與水上土地公廟

葫蘆墩圳在頂角潭處第二制水門上埤、下埤分流後，順著角潭路沿著上埤灌溉水渠而下約不到一百公尺，水流被一個三角形的魚嘴狀突出石砌，分成兩道水流，這頂著水流的魚嘴狀突出石砌就是「大鴛鴦汴」。

一般而言，農民灌溉儲水利用溪水者，先築堰攔水，而引進入水路，即稱為「圳頭」或稱「埤頭」，水路稱為「圳路」，貯水處稱「埤」，埤頭入口稱「閘門」，

亦稱「陡門」、「戽門」、「檔門」，大的分水門稱呼亦相同。此門不僅為進水口，在必要時，亦作排水之用。就圳道的分水設施而言，渠道分水的水門稱為「汴」。

葫蘆墩圳上埤就在這「大鴛鴦汴」分流出東、西汴幹線。東邊的叫東汴幹線，西邊的是西汴幹線，因此在地鄉親也有人直接稱此地為「東西汴」。在鴛鴦汴的東西渠道中間，建有一座土地公廟，俗稱「水上土地公廟」，正好不偏不倚地坐落在東西汴兩大支流的正上方，而其方位是與水流相反的。

葫蘆墩圳東汴水道。

在葫蘆墩沿途建有許多土地公廟，這些土地公廟大多有一個共同的特色，就是每一座廟宇的大門都是與水流的方向相反（也就是正面迎向水流），這個設計創意取自「有水斯有財」之義，人們認為水是一種財富，而大門面對水流方向表示財源滾滾流入門內，有聚財的用意。

豐原區新生北路臨近中正路口的老雪花齋餅店前原葫蘆墩圳東汴封蓋後停車場上的「雙福祠」土地公廟、豐原區富春里富春街的「橫街尾福德祠」都是採這

上圖：葫蘆墩圳上埤於「大鴛鴦汴」分流出東、西汴幹線，在地鄉親暱稱此地為「東西汴」。

下圖：位於鴛鴦汴東西渠道中間的「水上土地公廟」，其方位與水流相反，有聚財之義。

分流東西汴的水門。此門不僅為進水口，在必要時，亦作排水之用。

樣的方位建置。其實老雪花齋餅店前的「雙福祠」土地公廟、富春街的「橫街尾福德祠」也可算是水上土地公廟，只是祂們所坐落的東汴幹線渠道被封蓋住了。

就在鴛鴦汴的水上土地公廟廟埕，還有一個小秘密。我們可以發現廟埕前柵欄邊有兩個鐵蓋，鐵蓋下有一方井，井中有一枝量水的標尺，據說是用來觀察記錄兩道灌溉溝渠的水流量，如果到這水上土地公廟一遊時，別忘了看看這個有趣的設計。

軟埤溪、葫蘆墩公園親水遊戲舒活藍帶

張達京開鑿葫蘆墩圳，引入大甲溪水，至清雍正 12 年（1734 年），灌溉面

上圖：軟埤溪葫蘆墩公園之三豐路入口。

下圖：軟埤溪葫蘆墩公園之紀念碑石。

積曾高達三千多甲，範圍包括豐原、大雅、潭子等，是早期大臺中地區的農業生產命脈。其中最先開鑿興建的是下埤圳，依日治時期臺灣堡圖判斷，下埤圳應曾經借道今日的軟埤溪。現今的水利單位於軟埤溪上築起了分流壩，主要將大甲溪引來的水引入下埤，灌溉農田，而分流的軟埤仔溪則成了調節水量的疏洪道之角色，是葫蘆墩圳水量穩定、大豐原地區鮮少水患的重要功臣。

位於軟埤溪兩側的葫蘆墩公園 (78)，占地面積約 18 公頃，橫跨豐原區東湳、西湳、北湳、大湳、圳寮、豐圳等六里。近年來政府在軟埤溪、葫蘆墩公園的整治與發展投注不少心力與資源，而許多公辦、民間大型戶外活動也都經常選在葫蘆墩公園辦理，也因此讓軟埤溪、葫蘆墩公園成為今日許多豐原人的重要生活記憶。

在現今提倡生活品質、休閒遊憩及生態保育的環境下，臺中市政府目前更加積極重視軟埤溪、葫蘆墩公園藍帶與綠帶的空間結合，利用多元化設計手法，期望展

流經葫蘆墩公園的軟埤溪也是豐原地區重要的民俗活動地點。圖為 2004 年甲申年，於軟埤溪舉辦的三獻醮放水燈活動。

現葫蘆墩圳之歷史意義及重要性，藉而提升鄰里互動、美化都市水岸，打造豐原微笑城市印象，創造大臺中地區的新亮點。

筆者曾於 2016 年 2 月 22 日親自前往臺中市政府專訪林市長佳龍。林市長佳龍提到臺中市政府目前進行中的「軟埤仔溪水域環境景觀營造工程」，強調葫蘆墩公園占地面積約 18 公頃，是目前豐原地區最大的河濱公園，而軟埤溪流貫其中，更形成一條重要的水域藍帶。配合 2018 年后豐世界花卉博覽會，臺中市政府水利局計畫投入兩億八千萬經費，將軟埤仔溪自三環路起至豐原大道止，長約 1.8 公里的水域環境進行改造，以「River is the Park」的設計主軸，藉由生態護岸、都市湖區、海綿綠地、自然淨水、智慧照明及植栽綠美化等軟硬體手段，將河川與周邊景觀、人文、歷史等特色元素與花博串聯，重新塑造軟埤仔溪，營造出兼具防洪安全及自然人文風貌的水域環境，增加民眾親水意願，完成永續經營的目標及「水岸花都」之願景。

葫蘆墩圳人文詩園怡然園

　　除了葫蘆墩圳周邊的水利設施，葫蘆墩也有充滿文人氣息的場景，我們也將透過幽怡的園景引導我們了解前輩文人賢達對葫蘆墩及葫蘆墩圳的觀感。

　　1993 年 12 月竣工的怡然園，或稱「怡然詩園」，位於臺中市豐原區圓環西路上（豐西路路口正對面），是豐原市區內一座少見設計得靜謐悠然的小巧景觀公園，乃利用葫蘆墩圳西汴幹線流經圓環西路至成功路間的水利地闢建而成。整座怡然園順著舊西汴幹道河道而設，呈現長條帶狀公園的規劃布置。園中設有優雅舒適的涼亭、別致的拱橋及潺潺的西汴流水，精巧設計的景觀環境令人賞心悅目。

　　由王阿脾前市長題字的怡然園，是一座以詩詞讚頌豐原、葫蘆墩的主題公園，

〈豐原春曉〉詩文碑石。

園邊駁崁壁上所留均為讚詠葫蘆墩的前輩騷人墨客的詩作，在成功路入口不遠處還陳置了當代臺中鄉土文化大師陳炎正 (79) 大作「岸裡社懷古」碑石，展塊出了豐原所孕育的豐富人文精神與資源。作者橫跨古今，豐富的詩文收藏與人文精神，使得這裡的怡然詩園稱號真可說是當之無愧。亭園造景、綠意盎然、饒富詩意，古樹奇木依地形布置，柳葉低垂、水聲淙淙、鬧中取靜，值得一再駐足玩味。

碑石牆上所留的前人詩作包括：

〈岸裡社懷古〉直庵先生（陳炎正）

拓荒常憶此開基，百戰當年屬健兒。圳鑿蘆墩資灌溉，德敷捒堡化蠻夷。

楓林忽訝滄桑變，斥候已隨歲月移。讀罷豐碑頻剔蘚，夕陽無語立多時。

〈葫蘆墩竹枝詞〉詩文碑石。

〈怡然詩園紀事〉前豐原市長陳欽隆

豐葦原上富春國，郁郁文哉名士多；錦繡情懷傳佳構，怡園詩壁紀風流。

〈葫蘆墩竹枝詞〉傳于天

頭纏紅錦耳垂璫，一髻新梳墮馬粧；傳說歌聲雜閩粵，男爭倒篋女傾囊。

登場媚眼轉秋波，錯雜箏絃徹夜歌；莫笑優人專射利，好官不過得錢多。

〈豐原春曉〉直庵先生

惠風和暖慶雲生，入耳靈雞唱五更；我愛葫蘆墩上去，東來紫氣應昇平。

〈富饒富春鄉〉詩文碑石。

〈祝葫蘆墩街電火開通〉水竹居主人（張麗俊）

世界神工出，葫蘆電火通；流星垂路曲，皓月滿街同。

不怕風吹黑，何須燭吐紅；黃昏光達旦，長是水晶宮。

〈小園偶成〉丘逢甲

十日春陰一日晴，三分春在愛閒行；池塘水滿流花急，簾幙風微落絮輕。

佳士班行環碧筍，美人笑口粲朱櫻；殘紅掃罷鋪茵坐，墜地青梅看雀爭。

〈富饒富春鄉〉小東山

共讚富春鄉，由來百業昌；地腴符種植，物阜利營商。

四庶呈繁盛，三農盡改良；交通真發達，安步有康莊。

〈祝葫蘆墩街電火開通〉詩文碑石。

天倫之樂

親子關係

🌼 豐圳公園

坐落於成功路家樂福旁的豐圳公園，全區占地4.6
公頃，是以葫蘆墩圳下埤幹線「番仔圳」圳邊墓地遷
移而整治開發的市區公園，為豐原區規模僅次於葫蘆
墩公園、以藝術雕刻為主題的公園。

公園中蒐羅許多雕刻作品，尤其豐原開發史中關
鍵的先行者張達京與潘敦仔的塑像，更是為本地文史
留下重要的詮釋紀念。面臨成功路的公園大門設計相
當特別，最吸引人注目的莫過於斗大的、類似空心圓
造形的雕塑設計。公園中還有露天劇場可以供民眾表
演活動，是一個仿羅馬競技場的建築，可說是絕佳的
表演場所，另外也有親子噴泉，在盛夏時提供親子一
起活動的場域。

🌼 岸裡國小──古碑亭、岸裡文物藝術館

岸裡目前行政劃分歸於神岡區，但是岸裡與豐原
的開發史始終關係密切。漢人在豐原的農業開墾始於
與岸裡大社的墾約，豐原早期開發史中影響極大的三

豐圳公園為規模僅次於葫蘆墩公園、以藝術雕刻為主題的公
園，為豐原人增加踏青活動的空間。

仍保留黑瓦紅磚等日治當代建築風貌與藝術特色的岸裡國小。

大家族：張達京家族、呂炳南家族（三角仔庄呂家）、林振芳家族都是在岸裡一帶起家，岸裡更是豐原文化興起的重要關鍵源頭。

　　咸豐 5 年（1855 年）呂炳南與士紳共創文英社；同治 8 年（1869 年）又在岸裡社側創建文英書院；同治 5 年（1866 年），呂炳南為奉養慈闈張太夫人，營築筱雲山莊為娛親之所，稱為「呂氏別業」，筱雲軒典藏書籍達數萬卷，經、史、子、集等多達二萬多卷，當時有臺灣第一私人圖書館之美譽。呂家興建的文英書院（文英社）及筱雲軒實有促成臺灣中部文風益加鼎盛之貢獻，並孕育出一位進

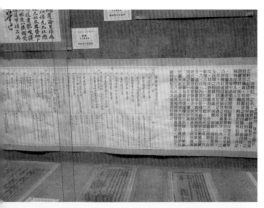

士：苗栗丘逢甲，四位舉人：霧峰林文欽（林獻堂之父）、清水蔡時超、鹿港施士浩及筱雲呂賡年。足見岸裡當時對豐原乃至整個中臺灣文化風氣的提振影響極大。

前身為岸裡公學校的岸裡國小，目前僅保存建於昭和5年（1930年）、面對校門的一排舊校舍及升旗臺等，其建築形式為紅磚瓦，表現出日治當代的建築風貌與藝術特色，且見證地方城鄉發展與基礎教育的歷史，深具文化資產保存價值。2013年便由臺中市文化資產管理中心（今臺中市文化資產處）公告將岸裡國小木構磚造的校舍與升旗臺登錄為校舍類歷史建築，地址位於臺中市神岡區中山路52號，鄰近葫蘆墩圳西汴幹線南門支線。

除了岸裡公學校日治時期校舍與升旗臺登錄為校舍類歷史建築外，前面提

岸裡國小設置「岸裡文物藝術館」，蒐集、陳列許多平埔族原住民暨漢人入墾先民的民俗文物，供民眾了解岸裡大社對豐原發展的影響。

到彰化縣貓霧捒巡檢戴宏度於乾隆 27 年（1762 年）所立的「水圳杜訟碑」，以及乾隆 24 年（1759 年）所立的「勒買番穀示禁碑」，目前都存置於岸裡國小內的「古碑亭」中，位置就在校門口傳達室後方靠圍牆處，而「古碑亭」旁邊就是被登錄為校舍類歷史建築的「岸裡公學校日治時期校舍」。

學校並在這座歷史校舍中設置「岸裡文物藝術館」，蒐集陳列了許多平埔族原住民暨漢人入墾先民的民俗文物，供民眾了解岸裡大社對中臺灣、尤其是豐原發展歷史的影響。

🍃 神岡浮圳

神岡浮圳近年來新聞熱鬧連連。2009 年神岡鄉長羅永珍向臺中縣政府爭取拓寬浮圳路，張立傑議員認為「道路闢建應該是要解決交通問題，而非製造更多的混亂」，但浮圳路拓寬將給地方帶來更多的問題，一旦拓寬，鄰近豐洲路、厚生路、三民路、和睦路的車流將大量湧入，大卡車、混凝土車進進出出將危及附近民眾出入的安全，交通流量也無法有效負荷，靠近厚生路路段有一處陡坡，拓寬後將使路面落差達三至六米，危及兩側居民安全。浮圳路拓寬將造成新的交通瓶頸及負擔，現況拓寬也無經濟價值，更會妨害兩側現有居民進出，要求縣府取消拓寬計畫。

關於浮圳存廢的爭議，2011 年 3 月 8 日臺中市政府召開縣市合併後第一次地方說明會，之後歷經多次說明會、公聽會、會勘，甚至神岡豐洲科技工業園區聯外道路（神岡區浮圳路拓寬改善工程）都已經於 2014 年 2 月招標、決標公告。但是同年 3 月 25 日抗議團體「守護神岡聯盟」掛出抗議白布條，抗議圳前路拓寬

神岡浮圳原屬於葫蘆墩圳系統下埤圳的一段圳道，由於位在多條馬路的交會點，近期為解決交通問題，面臨改建拓寬的難題。（林喬凱／提供）

工程，因這個工程沒有正當性、合理性甚至合法性，但是在當地民意代表極力爭取之下，將用三億元毀掉優美鄉間小路。臺中農田水利會也出面表態反對，認為一旦浮圳路拓寬就要把一條「浮圳」搬家，這不只是代表工程經費會嚇人地增加，也會讓灌溉系統破壞掉。

　　浮圳存廢的爭議炒熱了神岡浮圳。廣義上神岡浮圳是大臺中葫蘆墩圳系統的一支，屬於下埤圳的一段圳道，清雍正元年（1723年）岸裡通事張達京初築下埤支線，及至清雍正10年（1732年）岸裡通事張達京招攬秦登鑑、姚德心、廖朝孔、江又金、陳周文等六人出資擴大組成「六館業戶」，並延伸開發至五大汴，分流

上圖： 水圳的基礎土堤是將近三百年前
　　　夯土興建的文化遺址。（林喬凱
　　　／提供）

下圖： 浮圳路溝底保留著日治大正 8 年
　　　（1919 年）竣工的歷史遺跡。（林
　　　喬凱／提供）

搭連溝、中央圳、浮圳三大圳路，尚有三張溝、六張溝，流經今日之神岡區、大雅區、西屯區、南屯區各地。在歷史文化上，神岡浮圳當初的興建，除了是大臺中最早的灌溉圳道葫蘆墩圳之一支，具有漢人入墾先民們開發中臺灣的歷史記憶，而當時所採取「以水換地」的做法，讓移墾漢人修築水圳，供水給平埔族人來交換土地，更是當時閩粵、漳泉族群與岸裡社原住民之間，既競爭又合作的開發軌跡之重要見證。

　　在水圳的建築設計上，神岡浮圳也是將近三百年前少見的圳路設計。為了因應當地天然地形高低，配合自然流力的供水，乃依照地勢興建水圳於地面之上，有別一般向地面下挖圳的興建方式。因為是將圳體浮在土地上，所以稱為「浮圳」，形成了相當特殊的在地特色地景。浮圳從源頭到尾端，全線以大甲溪南邊的神岡河階地形，夯土升高構築成水圳土堤之遺跡全存，為全國罕見的清代遺跡。圳體雖然是三十年前新修完成，但水圳的基礎土堤，卻是

將近三百年前夯土興建的文化遺址，這正是浮圳在建築設計上真正歷史價值所在。浮圳的興築，清代以崁頂落差邊緣（即大甲溪南邊的神岡河階地形），夯土升高構築成水圳溝路，也經由此一遺跡證明清代水利工程技術的成熟，更表現出人類與自然互動的特殊文化意義。另外在浮圳路溝底目前還保留有日治大正8年（1919年）竣工的歷史遺跡——「葫蘆墩圳浮圳水汴圳堵庄暗渠大正八年一月竣工」石碑，這也是葫蘆墩圳重要的歷史遺存。

　　浮圳建成，引來水源，灌溉神岡千甲良田，也孕育著神岡的人文歷史。沿著浮圳圳道蜿蜒出長長的田埂路，通往這鄉區的各個不同聚落，水圳旁種有許多鄉里樹木，成為一條美麗的綠色圳道。這條將近三百年歷史的特殊水圳，維繫著神岡地區的田園地景，也在大臺中都會周遭保持著一抹綠色空間。古圳的保留，可以保持鄉區原有的寧靜道路，營造出回歸自然的農田綠帶，提供大臺中市民一個自然的休憩空間，也守護神岡的永世美麗。

　　儘管地方反對聲浪不斷，豐洲科技工業園區聯外道路——神岡浮圳路拓寬仍然在該年動土。2014年5月文資專家黃慶聲老師與在地文史耆老陳炎正老師、臺灣文化志工廖家瑞先生首次現勘，加入搶救浮圳行動。該年7月16日，由文資專家黃慶聲老師正式具名提報「葫蘆墩圳下埤與五大汴、浮圳登錄歷史建築審議申請書」，浮圳存廢爭議正式進入文化資產審議攻防戰。臺中市文化資產處針對本案進行初步會勘，之後仍然陸續發生浮圳路拓寬工程動工與居民爆發衝突、臺灣護樹協會向內政部遞交「訴願請求書」、「永續發展　珍愛浮圳：搶救浮圳自救會」臉書粉絲專頁成立、民間抗議活動不斷，多家電子、平面媒體也多次報導相關爭議狀況，甚至民間團體還為此提起行政訴訟，直到2016年5月19日浮圳爭議終於塵埃落定，臺中市文化資產處正式公告位於臺中市神岡區五大汴沿著圳

浮圳的水滋養農田，並孕育了十個世代以上的臺中人。（林喬凱／提供）

前路向西至圳堵里三民路止之「神岡浮圳」為文化景觀。

　　浮圳，外觀看起來好像浮在稻田聚落上方的水圳，這樣的水利工程與技術，是將近三百年前祖先們的智慧；浮圳生養了十個世代以上的臺中子子孫孫，如今卻歷經多番波折才得以保存下來。從歷史、從建築、從鄉土人情，神岡浮圳都有高度文化資產價值，甚至這整個圳路歷史，背後也還隱含著更多未解之文史有待發掘，包括從水圳分水延伸出來的地方權力發展史，以及圳路沿線的聚落發展史，太多精采的歷史文化仍舊隱含在浮圳圳道背後，等待著有心人去發掘、了解、認識與關懷。

第六章

豐原囝仔豐原夢

被蓋上蓋子的葫蘆墩圳

葫蘆墩圳 (80) 自大鴛鴦分水汴以下，分為東汴幹線與西汴幹線。東汴幹線北起角潭路，沿富春街南流經田心路出豐原市區，分流烏牛欄支線、四尺八汴支線，再由小鴛鴦汴分流茄至角支線、北屯支線、四張犁支線往潭子、臺中奔流。北屯支線再經各分流支線分別匯入柳川、綠川、梅川；四張犁支線也經各分流支線分別匯入石碑溪、筏子溪、麻園頭溪。西汴流往豐原國小的後方，經圳寮社區、中山路、圓環南路，再往下則分流社皮支線，再由東門汴分流東門支線、南門支線、百廿張汴支線、大社支線，往大雅、神岡奔流，東門支線、南門支線分別匯入筏子溪。

以前東汴幹線的沿岸滿布著垂柳與鳳凰木、尤加利樹、榕樹，是當時豐原市區的一條藍帶水域空間，我們在葫蘆墩文化中心所出版的《葫蘆墩老照片特輯》中可以找到一張 1958 年葫蘆墩圳東汴岸邊迎親隊伍老照片，背景還可以看到過去東汴幹線景觀。但因東汴幹線貫穿豐原市區繁華地帶，且該圳路有被嚴重占用情形，導致溝路因陋就簡難以改善，加上該圳路兼司豐原市區內排水總匯，經年長期垃圾傾倒及砂礫流入，導致圳路溝床逐年加高。1980 年為因應市區道路與停車需求，當時的豐原市公所協調臺中水利會將東汴幹線豐原市區段加蓋作為停車場及道路之用地，北起豐中路之豐榮二橋，南至縱貫鐵路之博愛街。在當時以經濟發展為主的思考下，以優先解決市民們停車空間考量，東汴幹線豐原市區段就此被壓在水泥與瀝青的路面底下。曾經是綠蔭大道的東汴幹線，從此沉埋於葫蘆墩的歷史中。

另外，我們在《葫蘆墩老照片特輯》中也可以找到一張 1960 年葫蘆墩圳西

上圖：東汴圳道尚未封蓋的景況。

下圖：為供應市民的停車需求，東汴幹線封蓋，成為停車場。

汴的老照片，兩岸滿布著垂柳與鳳凰木、尤加利樹、榕樹尤勝於東汴，是當時豐原市區的另一條藍帶水域空間。但是時代衍遷，今天的西汴幹線豐原市區段一樣有著圳路被嚴重占用情形，導致溝路因陋就簡難以改善的問題。

🌺 再次走出葫蘆墩圳的輝煌

2009 年 6 月 29 日在學界及官方組成的審查委員開會後，行政院宣布通過臺中縣市合併改制為臺中市。五都合併改制案確定後，各地仍有許多爭議存在。其中最廣泛討論的是：五個直轄市的總人口將占全國百分之六十以上，其它縣市的資源會因大都市升格而被稀釋並造成邊緣化，城鄉發展可能將有更大的落差。在直轄市內部方面，地方性的爭論更是不斷。

對於豐原人來說，縣市合併升格直轄市帶來的改變，反而是豐原是否面臨邊緣化的疑慮。打從先民入墾到日治時代，乃至光復以來，豐原人的故鄉一度有「小蘇州」的美稱，所產的葫蘆墩米更享有優良米質的盛譽，另外，豐原更有「糕餅之鄉」的美名。而八仙山林場開始伐木後，豐原成為木材貯放、轉運與加工的重要據點，木材、紡織等工廠林立興起，日後更發展為各種小型機械工廠，市況相當繁榮。1970、80 年代，臺灣漆器外銷百分之九十產自豐原，故豐原又有「臺灣漆器產業故鄉」的雅號。

回首過去的諸般榮景，「葫蘆墩」這塊故鄉故土一路從「葫蘆墩」、「豐原郡」、「豐原鎮」到「豐原市」，曾經是車水馬龍的行政中心、繁榮富庶的商業中心，而現在呢？從「豐原市」到「豐原區」，豐原的發展定位與願景何去何從呢？或者該由豐原人自己來找出答案吧！

讓豐原夢不再是夢

葫蘆墩圳東汴幹線豐原市區段加蓋、西汴幹線豐原市區段圳路被嚴重占用致溝路因陋就簡難以改善與臺中縣市合併升格直轄市豐原面臨邊緣化的疑慮，原本不相干的二個議題，2011年3月29日，一群關心豐原、后里地區在縣市合併後未來發展的藝文界、產業界團體，有感於后豐正面臨人口老化、發展鈍化現象而憂心忡忡，發起正式成立「臺中市繁榮葫蘆墩促進會」，將葫蘆墩圳豐原市區段整治與豐原再興繁榮概念整合，結合關心豐原未來發展的各界朋友，以民間的力量先行推動「水岸花都」概念，並藉此凝聚居民的共識，提出兩大願景：

● 促使政府積極對葫蘆墩圳水路空間多元化運用

尋求「治水」、「利水」、「親水」及「活水」之機能，永續推動「大甲溪兩岸」、「葫蘆墩圳」、「八寶圳」、「軟埤溪」、「旱溪」、「下水道工程」等相關河（水）流軟硬體措施之研討、規劃、執行等工作，再以水岸文化之思考美化相關市容，導入藝文活動，創發出葫蘆墩的水岸商機，進一步推動葫蘆墩的城市美學，以豐富與維護葫蘆墩的人文生態與自然生態。

● 公民精神意識層面的提升

藉由推動各種工作，諸如營造葫蘆墩圳水岸空間、形塑親水文化、重塑都市意象、活絡區域發展、改善生活環境之人文、生態等過程，讓居民了解到「地方

發展是由公民集體力量所推動的」，唯有凝聚公民力量，才能克服萬難，並一同為水岸花都的願景來努力，築夢踏實。

簡言之，「繁榮葫蘆墩促進會」係秉持社區總體營造之理念，以「生命的思考，生活的美學，生態的豐富，生計的營造」為經緯，佐以文藝復興之精神，結合各方資源，進行「造人」、「造景」、「造產」之城市公民運動，以水岸花都為發軔，形塑葫蘆墩山水城市永續繁榮願景為立會宗旨。

「繁榮葫蘆墩促進會」以聽證會、宣傳、說明會、結社及請願等作為形成一連串不一樣的公民參與：辦理「葫蘆墩講座」等文化活動，深耕在地意識、建構主題官網暨臉書粉絲團，組織青年鄉民、發行《葫蘆墩季刊》地方刊物，推廣地方更新理念、辦理相關座談會、專題演說、說明會、學術研討會並進行葫蘆墩圳整治民意調查，以理性的公民訴求表達冀期影響政府的決策，實現「以『生命的思考，生活的美學，生態的豐富，生計的營造』為經緯，佐以文藝復興之精神，結合各方資源，進行『造人』、『造景』、『造產』之城市公民運動，以水岸花都為發軔，形塑葫蘆墩山水城市永續繁榮的願景」。（以上節引自《常民逐夢：一群憨人ㄟ親水夢》）

臺中縣市合併升格直轄市以來的這些年，在揮之不去的「豐原邊緣化」社區陰霾氛圍下，益以社會政治形勢與氛圍的轉變，豐原區公民意識的萌芽、成長也受到鼓舞而逐漸發展出明顯的社區意識，並付諸實際愛護鄉土文化與環境的多場具體運動。

2014 年 8 月 2 日，因為鐵路高架化施工，豐原心鎖橋將被拆，臺中市仁社與「我是豐原人」臉書社群發起「守護心鎖橋」運動。心鎖橋原本是豐原火車站前站、後站相連的天橋，2003 年仁社以社區營造的精神，推動為家鄉造景計畫，將

為改善生活環境、活絡區域發展，政府與民間攜手合作，共同規劃討論「水岸花都」的實踐。

豐原火車站北方、相連前站與後站的天橋，營造成為許願的「許願鎖鐵橋」，橋上掛滿情侶之間或親友間的銅鎖祝福，又稱「心鎖橋」，是世界上第六座心鎖橋。2012 年 12 月，國際名牌 LV 發表新產品「愛情鎖橋項鍊」，還特別置入行銷豐原火車站心鎖橋，成為另類臺灣之光，而在 LV 官網也可以找到引用豐原火車站心鎖橋的網頁。心鎖橋東邊影響鐵路高架化被拆除，很合理；但引起成千上萬來掛鎖許願的鄉親朋友們緊張的是，怕接下來心鎖橋西邊也會全部被拆掉。「守護心鎖橋」運動在持續與相關主管機關的溝通、協商下終於獲得保留，並於 2016 年 8 月由臺中市政府辦理補強工程。

2014 年 12 月 19 日《自由時報》臺中都會焦點報導，提到東勢林區（原大甲林區）管理處歷史遺留舊官舍將於 2015 年上半年拆除活化。有鑑於自日本開發

心鎖橋充滿豐原人的回憶，面臨拆除的可能，民間發起「守護心鎖橋」運動。

八仙山林場以來，豐原長期作為全臺最重要林木集散地之歷史、人文背景，而且周遭鄰近區域其實富含非常多元的豐原文史、觀光資源，非常適合整理規劃成一條完整的文化觀光動線，於是在臺中市繁榮葫蘆墩促進會、臺中市父母成長協會、葫蘆墩導覽讀書會等諸多地方文史社團努力奔走，暨江立委啟臣、陳議員清龍、謝議員志忠等民意代表多方周旋下，臺中市政府文化資產處於 12 月 29 日到現場初次會勘，開始了豐原人這場「搶救豐原最後一片鄉土記憶」，保留陽明街東勢林區管理處官舍歷史遺存的文史保存運動。務期為豐原留下最後殘存的一片鄉土記憶，也為大臺中市邁向文化首都奠基起步。八仙山林場的開伐，確實是豐原由農業鄉街邁向工商城鎮的重要關鍵，甚至可以說是豐原工商產業起飛的起源。而目前東勢林區管理處所留下之舊宿舍正是這段豐原工商產業起飛歷史的最佳見

東勢林區（原大甲林區）管理處官舍是豐原工商產業起飛歷史的最佳見證，民間主動發起「搶救豐原最後一片鄉土記憶」運動，最終由臺中市文化資產處登錄為古蹟及歷史建築。

證，最後於 2015 年由臺中市文化資產處分別登錄為古蹟及歷史建築。

2016 年 1 月 9 日「豐原反空汙自救會」舉行「豐原反空汙」大遊行，號召近三百名民眾和公民團體上街，創下豐原街頭首見的公民街頭遊行運動；遊行民眾高舉「禁燒塑膠」、「拒聞化學毒」標語，抗議某在地紙廠排放臭氣，要求改善或遷廠。大遊行出席踴躍，遊行隊伍高喊「捍衛呼吸權」、「豐原人站出來」，繞行市府陽明大樓、廟東夜市和豐原火車站等地，環保立委田秋堇、臺中市議員謝志忠、翁美春、陳清龍和環保律師柯紹臻、環保醫師葉光芃等人都來聲援。

至於「水岸花都」[81] 促使政府積極對葫蘆墩圳水路空間多元化運用的理念，倡議之初，繁榮葫蘆墩促進會確實遇到很大阻力，質疑「封了三、四十年的老東西，怎麼可能掀開？」，但是繁榮葫蘆墩促進會的夥伴們並沒有因此退縮，而是更積極舉辦活動，讓在地民眾對葫蘆墩圳有更深的認識，同時發行刊物《葫蘆墩季刊》介

紹豐原的歷史文化、隱藏景點等，逐步爭取社區大眾的認同，期望藉由讓葫蘆墩圳重見天日，再啟豐原復興之契機。繁榮葫蘆墩促進會希望以葫蘆墩圳東汴幹線掀蓋作為豐原再造的起步，更要以歷史文化作為豐原再出發的利基；重現親水空間後，要讓糕餅、漆器等傳統特色產業、文化進駐溝圳兩岸，展現文化老街面貌，使豐原成為重新崛起的文化城市，達成豐原的文化復興、經濟重生。為了實現「水岸花都」豐原囝仔的美麗夢想，2015 年繁榮葫蘆墩促進會特別委託國立勤益科技大學舉辦「水岸花都：臺中市豐原區葫蘆墩圳流域掀蓋再造景觀競圖競賽」的全國性競圖活動，以期在政府進行細部規劃前提出民間版本，以供公部門參考。

「水岸花都：臺中市豐原區葫蘆墩圳流域掀蓋再造全國景觀競圖」[82] 於 2016 年 4 月 28 日完成收件，共有 124 組作品參加，最後選出 12 名佳作以及 6 組作品進行第二階段製作模型的團隊。在收件的過程中，參賽的同學必須到現場勘查了解地貌環境，繁榮葫蘆墩促進會也曾帶領學生現場走讀，解說葫蘆墩圳是如何牽動豐原的繁榮。為期近一年的徵件時程，作品來自全國各地，甚至包括中國學生也跨海來參與競圖。參與評選的委員由喻肇青教授帶領建築、景觀專家學者，地方代表也由臺中市繁榮葫蘆墩促進會理事長陳清龍先生、文史工作者孫自明老師及建築師廖進祿先生擔任評審委員，分別以在地的角度參與評選，讓比賽更具代表地方意見的意義；第二階段進行的模型評選，則以設計與執行為評選標準，7 月參賽作品於臺中市政府陽明大樓公開展覽一個月，讓居民透過這些作品的呈現，能夠對葫蘆墩圳掀蓋的想像更為具體，並參與投票，選出心目中的理想水岸花都城市。隨著比賽結果的揭曉，由專家與居民代表評選的作品，繁榮葫蘆墩促進會特別於頒獎典禮上公開轉呈交給臺中市政府水利局與計畫執行廠商參考，落實了地方政策由下而上的理念，也落實了公民參與公共政策的過程。

今日減碳綠化的環保意識崛起，豐原人不但希望葫蘆墩圳沿岸可以拆蓋、重見天日，也能恢復綠意，成為市民休閒觀光的好去處。（葉子源／攝）

　　探訪了葫蘆墩圳東、西汴豐原市區段的現況，體會到大臺中縣市合併後，鄉親們對於豐原沒落的隱憂，見證著在地公民意識的漸次覺醒，最後，也許我們可以想像不久的將來，豐原囝仔們可以有這樣美麗的豐原夢——當豐原市區葫蘆墩圳東汴的水泥面紗不再遮蓋著來自大甲溪的清流，「大溝」又重現豐原囝仔們記憶中溪清魚游的面貌，阿公、阿嬤們可以牽著稚幼的孫子，赤著腳行踏在葫蘆墩圳整治後的堤岸邊坡，迎著向晚的涼風，享受著青翠美麗的草皮溫柔地按摩著阿公、阿嬤們曾經滄桑的足板，輕聲細語地跟孫子們娓娓道說著五十年前、一百年前，阿公、阿嬤們以及他們的阿公、阿嬤們是如何在這「大溝」邊玩水、抓魚、打拚過活，而不遠處的土地公廟埕則不時飄送著街頭藝人清亮的〈望春風〉歌聲，為這片親水空間伴唱著傳世的天籟。

下頁圖：「水岸花都」全國景觀競圖第一名作品，作者是東海大學景觀系的賴佳好、林奕均，為豐原地區展開一幅人水相親的絕美藍圖。（臺中市繁榮葫蘆墩促進會／提供）

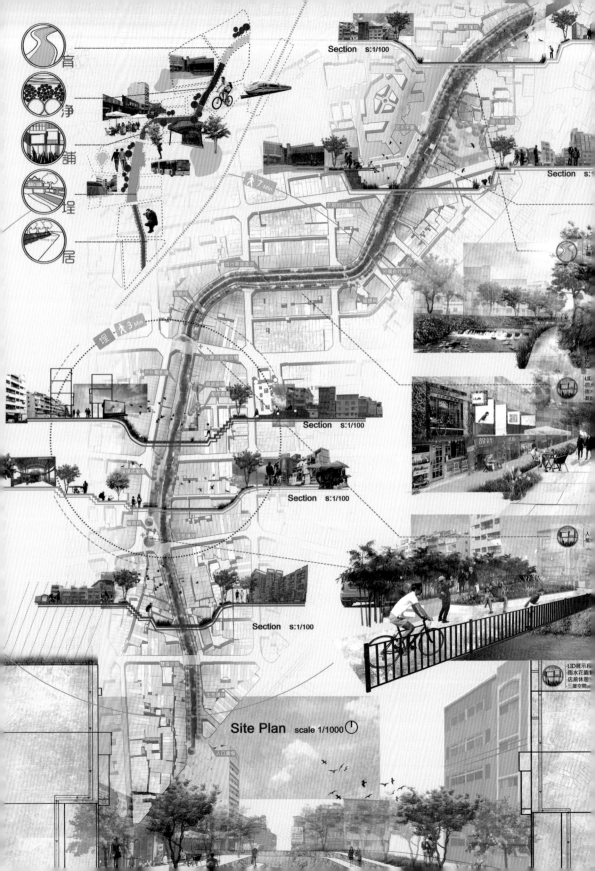

Section s:1/100

Section s:

Section s:1/100

Section s:1/100

Section s:1/100

Site Plan scale 1/1000

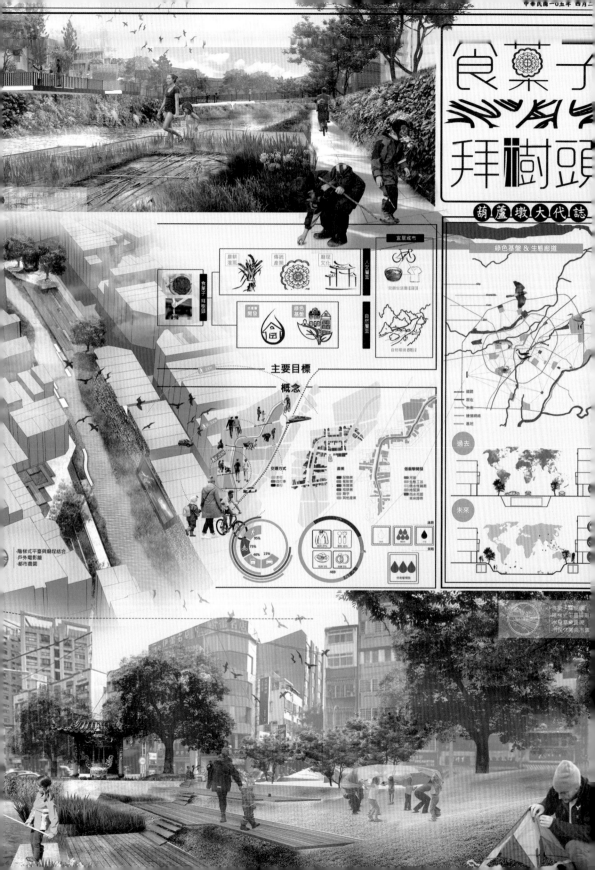

附錄

豐原的行政沿革

時代	行政沿革變遷
鄭氏東寧王朝時代以前	豐原其實是平埔族巴則海族烏牛欄社（現在的南嵩甲的烏牛欄溪一帶）與岸裡社的屬地。當時豐原算是岸裡社的延伸，為平埔族「巴則海」（或譯為巴宰）族的領地。
鄭氏東寧王朝時代	豐原建制上隸屬天興州。
康熙 22 年（1683 年）	清廷取得臺灣。
康熙 23 年（1684 年）	豐原隸屬於諸羅縣。
雍正元年（1723 年）	豐原改歸彰化縣管轄。
光緒 10 年（1884 年）	清廷決定將臺灣改建行省，以劉銘傳為首任巡撫。
光緒 12 年（1886 年）	清廷於葫蘆墩設巡檢衙門，豐原正式設有官衙駐守肇始於此。
光緒 13 年（1887 年）	劉銘傳奏請添設臺灣郡縣，本區乃屬臺灣府臺灣縣轄。
光緒 21 年（1895 年）	清廷將臺灣割讓給日本，日本當局將臺北、臺灣、臺南三府改為三縣及澎湖廳，至 8 月實施軍政，又將臺灣縣改易為民政支部。
明治 29 年（1896 年）	日本當局改臺灣民政支部為臺中縣，下有四支廳，本區仍屬揀東上堡。

攝於大正 9 年的豐原街役場，位於今太平洋百貨。（取自《葫蘆墩老照片特輯》）

明治 30 年（1897 年）	全臺劃為六縣三廳，置辦務署，本區在縣之下屬葫蘆墩區。
明治 31 年（1898 年）	臺中辦務署之下成立葫蘆墩支署。
明治 34 年（1901 年）	日本實施第二次官制大改革，臺中縣當時即屬臺中廳，本區屬其下葫蘆墩支廳。
明治 35 年（1902 年）	日本政府將原葫蘆墩支廳下：上南坑、翁仔社、葫蘆墩、社口、三角仔等五區，合併為葫蘆墩、社口兩區。

上圖：日治時期第二個豐原郡役所，位於今中正路土地銀行。（取自《葫蘆墩老照片特輯》）
下圖：日治時期第三個豐原郡役所，位於今富春國小校址。（取自《葫蘆墩老照片特輯》）
右頁圖：原豐原市公所，今為臺中市豐原區公所。

大正 9 年（1920 年）	臺灣總督府修改地方行政體制，全臺設五州三廳，下設市郡街庄。臺中於是改為州，將原來揀東上堡的葫蘆墩、潭仔墘、墘雅（下堡）、神岡鄉、后里區（內埔）與苗栗三堡內埔區合併為「豐原郡」（とよはら／Toyohara），隸屬於臺中州，管轄豐原街、內埔庄、神岡庄、大雅庄、潭子庄。本區調整為臺中州豐原郡豐原街，「豐原」的名稱於焉確立。
民國 34 年（1945 年）	中華民國政府接收臺灣，本區改為臺中縣豐原鎮；臺中縣範圍包括今日的彰化、南投兩縣（彰化市當時為省轄市），縣治在員林鎮。
民國 39 年（1950 年）	將原臺中縣所轄之 59 鄉鎮縮小為 21 鄉鎮，其餘分為彰化、南投兩縣。10 月 21 日新臺中縣正式成立，並將縣治從員林遷至豐原鎮。
民國 65 年（1976 年）	豐原鎮改制為縣轄市豐原市。
民國 99 年（2010 年）	豐原市隨著臺中縣市合併為直轄市而改制為豐原區。

豐原主要客家族群聚落分布表

客家族群	客家原鄉	代表人物及家族、聚落
四縣客	廣東嘉應州的四縣	清領時期舉人吳子光、進士丘逢甲及翁社邱厝、翁社徐厝、漢忠醫院林漢忠醫師。
海陸客	廣東惠州府的海豐和陸豐兩縣	大夫第林振芳、頂角潭邱廷美邱厝、翁仔社廖芳霖武威堂、廖西東（前總統府秘書長廖了以之祖父）。
大埔客	廣東潮州府的大埔縣，因多集中於臺中市的東勢、石岡、新社、豐原等鄉鎮，因此也被稱為「東勢客」	開發葫蘆墩圳有功的張達京、張達朝兄弟，其後代水竹居主人張麗俊、翁社萬選居張家、謝道隆秀才（小東山）、翁社連厝和尤厝。
饒平客	廣東潮州府饒平縣北部的山區	豐原鎌村林慶連及楊氏家族、朴子和公老坪的涂氏、翁子張接生家族、田心路二段林氏榮春堂。
詔安客	福建詔安縣的漳州府	神岡呂家後代、六館業戶廖朝孔、共進紙廠羅安後代、中陽里游家。
汀州客	福建的汀州府	大湳仔（東湳里）熊宅、神岡熊宅。
潮陽客	廣東的潮州府	豐原高中旁張和合家族和水源路江家。
南靖客	福建的漳州府	魏家光裕堂。

河婆客	廣東揭陽的河婆鎮	東湳里唐里長家族。

* 本表參考 2015 年《葫蘆墩季刊》9 月秋訊，葫蘆墩導覽讀書會莊淑如〈四海大平安〉一文整理所製。

葫蘆墩圳開鑿歷程

葫蘆墩圳位於舊臺中縣中樞，引用大甲溪水，分上埤、下埤、下溪洲三個系統，廣袤十餘里。整個葫蘆墩圳總灌溉面積高達一萬甲地，與臺灣北部瑠公圳 (83)、南部曹公圳等並稱臺灣三大古水圳，為臺灣水利資源最豐富的地區。根據陳炎正《葫蘆墩圳開發史》所記載，其早期興築過程如下：

年代	興築歷程
雍正元年（1723 年）	張達京首先與岸裡社族人以「割地換水」方式，花費九千三百兩銀開發下埤灌溉系統。
雍正 10 年（1732 年）	張達京、陳周文、秦登鑑、廖朝孔、江又金、姚德心等家族組成「六館業戶」，與潘敦仔等平埔族共同訂定墾約，聚資六千六百兩開鑿上埤，自樸仔籬口築埤引進大甲溪水灌溉揀東堡一帶千餘甲田地。至乾隆 12 年（1747 年）竣工、圳長四十餘里。
雍正 11 年（1733 年）	葫蘆墩圳上埤興工。

乾隆 12 年 （1747 年）	葫蘆墩圳上埤竣工。
乾隆 50 年左右 （1785 年）	葫蘆墩圳（也稱貓霧捒圳）的灌溉面積有三千餘甲，範圍包括今日的豐原、潭子、神岡、大雅及臺中市西屯、北屯區。此後漢人大量湧入墾耕。
道光 3 年至 6 年間 （1823 年～ 1826 年）	由陳天來、陳奎、陳漢、陳策、陳薦等兄弟，即稱「陳五協」，共同出資一千六百兩開墾下溪洲圳，灌溉面積將近二百甲地。

日治時期迄今葫蘆墩圳的工程沿革與變遷

灌溉範圍包括今日的豐原、潭子、神岡、大雅及臺中市西屯、北屯區的葫蘆墩圳，在清領時代歷經上述張達京、「六館業戶」、「陳五協」興築歷程，大致規模已備。日治時期迄今，陸續有諸多工程興革與建制變遷，我們也為大家整理如下：

年代	工程興革與建制變遷
明治 35 年（1902 年）	依據公共埤圳管理規則之公布，將葫蘆墩、八寶、王田三埤圳主權賣歸公有，成立葫蘆墩圳組合、八寶圳組合、王田圳組合，為臺灣水利自治團體之啟端。
明治 41 年（1908 年） 2 月 19 日	日本政府公布官設埤圳規則九條。

明治 42 年（1909 年） 2 月 18 日	日本政府公布官設埤圳施行細則十九條。
明治 43 年（1910 年） 4 月	日本政府頒布官設埤圳水利組合規則，確立官設埤圳之管理。由公共埤圳及官設埤圳，演變為統一性之水利組合，實為管理水利之一大邁進。
大正 2 年（1913 年）	日本政府官設埤圳規則最後修正。
大正 10 年（1921 年） 12 月 28 日	日本政府公布臺灣水利組合令，逐漸擴大對於水利事業之管理範圍，組合令第一條即明訂為灌溉排水或水害預防，皆可設置水利組合。
大正 11 年（1922 年） 5 月 22 日	日本政府公布臺灣水利組合令施行細則。
大正 12 年（1923 年）	合併葫蘆墩圳組合、八寶圳組合、王田圳組合，設立一專責機構，命名「豐原水利組合」，當時「豐原水利組合」為臺中縣域規模最大，灌溉範圍包括整個臺中盆地，有 37 個埤圳，灌溉面積高達 21,784 公頃。而這其中又以「葫蘆墩圳」最大，圳路總長 255.51 公里，灌溉面積達 8,919 甲。 葫蘆墩圳之前身有上埤、下埤及下溪洲圳等。日本當局以葫蘆墩圳原有取水地洞整修不易，改移至縱貫鐵路（山線）舊花樑鋼橋下，設堰堤（石筍）攔水引進大甲溪水，縮短原有圳路渠道，並以明溝圳路（渠道）引水，管理較為便利。大正 13 年（1924 年）竣工。

昭和 14 年（1939 年）	日本政府將豐原水利組合改稱「豐榮水利組合」，並設置「豐榮水利之碑」，記載葫蘆墩圳開設始末。並將舊有取水口修改為攔水鐵門等現代化設施。
民國 36 年（1947 年）	「豐榮水利組合」改為「豐榮農田水利協會」。葫蘆墩圳開始積極實行幹、支線各分水汴門以及給水口之改建新設等工程，使埤圳能達到經濟合理之使用。
民國 37 年（1948 年）	「豐榮農田水利協會」改為「豐榮水利委員會」。
民國 45 年（1956 年）	臺灣省各地水利委員會改進辦法公布後，豐榮、東勢以及大屯水利委員會合併「豐榮農田水利會」。
民國 63 年（1974 年）	為因應德基水庫完成引發之灌溉區引水機能及公共與工業供水等問題，完成「石岡水壩綜合開發計畫」，將中部地區水利發展帶至新階段。
民國 64 年（1975 年）	水利會區域調整後，豐榮、大甲、后里及苑裡水利會合併為「臺灣省臺中農田水利會」。
民國 66 年（1977 年）	石岡水壩完工。葫蘆墩灌溉水路重新調整，於食水嵙溪建新取水口，葫蘆墩圳改道經南幹線渠道合八寶圳，由石岡水壩統一引進水源，充分供應大臺中地區之公共給水與灌溉用水，滿足了中部地區水利發電及供水之調配需求，更將大甲溪下游、葫蘆墩圳、八寶圳等埤圳用水，做更有效之利用。

民國 69 年（1980 年）	葫蘆墩圳自大鴛鴦分水汴以下，分為東汴幹線與西汴幹線。東汴幹線（北起角潭路，沿富春街南流經田心路出豐原市區）貫穿豐原市區繁華地帶。當時為因應豐原市區經濟成長所衍生的道路與停車需求，豐原市公所協調臺中水利會將東汴幹線豐原市區段加蓋，作為停車場及道路之用地（北起豐中路之豐榮二橋，南至縱貫鐵路之博愛街，全長約 1.8 公里）。
民國 88 年（1999 年）	九二一大地震之後，石岡水壩嚴重毀損，影響南幹線渠之取水，所以將原日治時代興築於臺鐵花樑鋼橋下之舊進水口修復，作為葫蘆墩圳臨時取水灌溉之用。石岡水壩修復後迄今，仍由石岡水壩取水，經南幹線渠，於萬定汴匯入葫蘆墩圳幹線。
民國 99 年（2010 年）	臺中縣、市合併為直轄市臺中市。若干豐原鄉親們憂心豐原發展邊緣化危機，發起「水岸花都：葫蘆墩圳東汴市區段掀蓋整治」運動，並持續運作迄今。

〈大溝望清溪〉歌譜

〈大溝望清溪〉[84] 一詩後來得到豐原國中蔡玫玲主任的協助，邀得豐原高中陳淑芬主任協助、合作，改編成歌詞，更邀得豐原的優秀子弟、留學美國洛杉磯加州大學獲得理論作曲碩士，爾後獲獎學金進入南加州大學，進而取得音樂作曲藝術博士歸國的新生代作曲家魏志真小姐為這首歌譜曲。

大溝ㄟ水　　　　　　　　　　倀清朝　流到

今仔日——　　　　　流過阮　故鄉的　繁＿華——

流過胡蘆墩的源　頭——　　　　　　細漢ㄟ時＿陣

阮最愛　踮溝仔邊——　　　　　　　看阿媽　洗＿衫

去溪邊　玩水和抓　魚仔——　　　　大溝是阮最愛的

參考書目

書籍

1. 陳炎正，《葫蘆墩圳開發史》，臺中：臺中縣葫蘆墩文教協會，2000。

2. 陳炎正，《豐原市志》，臺中：豐原市公所，1986。

3. 張子文、郭啟傳、林偉洲，《臺灣歷史人物小傳：明清暨日據時期》，臺北：國家圖書館，2006。

4. 臺中縣政府、張勝彥，《臺中縣志》，臺中：臺中縣政府，1989。

5. 廖月霞、王正雄、蕭淑君，《豐原糕餅今與昔》，臺中：臺中縣立文化中心，1997。

6. 林宣宏，《豐原葫蘆墩文化》，臺中：臺中縣仁社，2000。

7. 豐原國民中學，《豐原漆藝的美麗與哀愁》，臺中：豐原國民中學，2008。

8. 許文彬，《臺中縣豐原區古蹟巡禮暨史料彙編：豐原‧潭子‧大雅‧神崗》，臺中：臺中縣古風游藝學會，1999。

9. 陳炎正，《歷史跫音：大臺中傳》，臺中：臺中縣葫蘆墩文教協會，2010。

10. 王正雄、張裕宏、施金柱，《葫蘆墩老照片特輯》，臺中：臺中縣立文化中心，1999。

11. 許文彬，《豐原區：葫蘆墩古蹟巡禮暨史料彙編》，臺中：臺中縣古風游藝學會，1998。

12. 林上玉，《臺中縣文化資產巡禮》，臺中：臺中縣文化局，2001。

13. 李君如、張輝誠，《豐原采風》，臺中：豐原市公所，2001。

14. 林嘉鎮、林坤火、歐忠仁、黃守賢，《豐原翁仔社老照片專輯》，臺中：豐原區公所，2013。

15. 嚴文炯、張秀琴、呂明凡，《淺談豐原葫蘆墩圳開發史〈一〉》，臺中：豐原區公所，2015。

16. 楊宏祥、飛軒，《常民逐夢：一群憨人ㄟ親水夢》，臺中：社團法人臺中市繁榮

葫蘆墩促進會，2014。

17. 陳志昌，《美術教育的耕耘者：楊啟東》，臺中：臺中縣立港區藝術中心，
2009。

18. 李美玲，《彩繪生命的油畫家：廖繼春》，臺中：臺中縣立港區藝術中心，
2009。

19. 葉火城、何啟志，《葉火城油畫回顧展》，臺中：臺中縣立文化中心，1989。

20. 張慶宗、張銀平，《巴宰的原鄉：平埔族【巴宰族】血淚》，臺中：臺中市后里
區舊社社區發展協會，2014。

21. 許俊雅，《呂赫若》，臺南：國立臺灣文學館，2011。

22. 陳千武，《富春的豐原》，臺北：臺灣省教育廳，1976。

23. 陳千武、何從，《謎樣的歷史：臺灣平埔族傳說》，臺北：臺原出版社，1989。

24. 潘英，《臺灣平埔族史》，臺北：南天出版社，1996。

期刊

1. 莊淑如，〈四海大平安〉，《葫蘆墩季刊》，第 13 期（2015），頁 4。

2. 楊宏祥，〈水岸花都の豐原文藝復興〉，《葫蘆墩季刊》，第 2 期（2012），頁 2。

3. 楊宏祥，〈葫蘆墩社區刊物回顧〉，《葫蘆墩季刊》，第 3 期（2013），頁 2。

報紙

劉永祥（2015 年 4 月 27 日）。新故鄉動員令第 165 站臺中豐原。中國時報，A8 版。

網路

1. 中華民國客家委員會「哈客通訊摘錄」：http://www.hakka.gov.tw/ct.asp?xItem=10774&ctNode=1912&mp=1869（搜尋日期：2016/7/23）。

2. 臺中市豐原區公所：http://www.fengyuan.taichung.gov.tw/（搜尋日期：2016/7/30）。

3. 大滿望清溪──葫蘆墩圳的前世‧今生與未來：http://library.taiwanschoolnet.org/cyberfair2012/fengdong_young/main.htm（搜尋日期：2016/5/30）。

4. 臺中市文化資產處：http://www.tchac.taichung.gov.tw/home.aspx（搜尋日期：2016/6/3）。

5. 葫蘆墩文化中心：http://www.huludun.taichung.gov.tw/（搜尋日期：2016/6/12）。

6. 文化部文化資產局入口網：http://www.boch.gov.tw/boch/frontsite/dispatch.do?def=frontsite.index（搜尋日期：2016/7/02）。

7. 秋惠文庫：https://www.facebook.com/FormosaMuseum（搜尋日期：2016/6/08）。

8. 國立臺灣歷史博物館：http://www.nmth.gov.tw/（搜尋日期：2016/5/21）。

9. 國立故宮博物院：http://www.npm.gov.tw/zh-tw/（搜尋日期：2016/5/18）。

10. 中央研究院歷史語言研究所傅斯年圖書館數位典藏系統：http://lib.ihp.sinica.edu.tw/pages/03-rare/system/index.htm（搜尋日期：2016/5/28）。

11. 臺中農田水利會：http://www.tcia.gov.tw/（搜尋日期：2016/6/28）。

12. 臺灣原住民族資訊資源網：http://www.tipp.org.tw/（搜尋日期：2016/5/24）。

13. 延續平埔巴宰文化的鯉魚潭教會：http://www.pct.org.tw/article_church.aspx?strBlockID=B00007&strContentid=C2011082000006&strCTID=&strDesc=Y&strPub=&strASP=article_church（搜尋日期：2016/8/2）。